中公新書 2132

ロナルド・ドーア著

金融が乗っ取る世界経済

21世紀の憂鬱

中央公論新社刊

序文に代えて

二〇〇六年あたりからサブプライムローン問題でくすぶり始め、二〇〇八年のリーマン・ショックで本物のパニックに発展した金融危機は、たしかに世界政治経済史の画期的な出来事だった。それは、一九三〇年代の不況、第二次世界大戦、ベルリンの壁の崩壊に匹敵する画期的な事件であった。そこでは、「アングロ・サクソン資本主義の終焉」が叫ばれ、金融危機が世界経済にとって重要な転機となるように見えた。

資産価格が急落し、国によっては、翌年の成長率がマイナス二％からマイナス五％、一〇〇〇万人の新しい失業者が生まれた。銀行救済のために膨大な公共資金がつぎ込まれ、先進国平均で国民総生産（GNP）が三％減、何百万という人たちが持ち家を失いホームレスになった。災難としての規模は決して小さくなかったのである。

しかし、二〇一一年の今現在、世界経済の仕組みは大して変わっていない。一九四五年の時のような、「終止符を打って再出発」の感が、全くと言っていいほどない。少数の政治家や知識人による改革の呼びかけにもかかわらず、グローバルな制度に関してガイドライン設定の責任を負う国際通貨基金（IMF）、国際復興開発銀行（IBRD）、国際決済銀行（BI

S）などの国際機関は、いずれも腰が重い。その代わり、メガバンクがますますメガになって、カーメン・ラインハートとケネス・ロゴフが言う「金融狂いの八百年」（彼らの著書『国家は破綻する』のサブタイトル）のもう一つの章が書かれる状況を作っている。

実は、この本のきっかけはその危機以前にある。私はすでに、二〇〇一年、東洋経済新報社から出した邦訳『日本型資本主義と市場主義の衝突』の一章で、「世界経済の金融化」を取り扱っていた。そのイタリア語訳がきっかけとなって、「金融化」現象についてのセミナーに呼ばれたりした。

二〇〇八年の春、イタリアの学術雑誌に「世界経済の金融化」というタイトルでペーパーを書いた。[*1] 二〇〇九年の五月、それを元にイタリアで薄いペーパーバックが出版され、[*2] かなり受けがよかったので、以前、中公新書を編集してくれた郡司典夫さんに、普通の新書の分量に拡大して、新書として出したいと連絡したところ、快く引き受けてくれた。約束の分量を大幅に超えてしまったことをお詫びしたい。

第1部は「金融化」現象とは何か、その背景にある要因は何かという問題を扱っている。第2部は金融化の結果として、社会、政治、教育などがどう変わるか、そしてそういう現象を学者はどう受け止めたかについて論じている。第3部は、金融改革、弊害是正をめぐる、各国金融庁、財務省およびG20、BIS、金融安定理事会（FSB）など国際機関の試みを分析した。あとがきでは、二一世紀、つまり中国の世紀の展望を披露した。

ロナルド・ドーア

二〇一一年八月末日、グリッツァーナ・モランディにて

目次

第2部

金融が乗っ取る世界経済

第1部

1・1――金融化ということ

出発点

この本の出発点は、今回のリーマン・ショック以降の不況にあるのではない。私は日本の社会・経済の研究者である。生まれ育ったイギリスと比較して、日本の社会構造、常識、通念を解明することが生業であり、生きがいの中心でもあった。中でも「モノ作り文化」と「カネ作り文化」の違いが大きな関心事であった。

一九八九年、ベルリンの壁の崩壊で、計画経済と市場経済の相違・対立が歴史経済学の関心事としての魅力を失う一方、バブルの破裂で、永遠に右肩上がりという日本の成長神話も崩壊し始めた。その時、私の研究テーマは日英の比較を超え、より大風呂敷になった。ドイツの友人とともに「日独資本主義と英米資本主義の相違」が研究テーマとなった。

日本――準共同体的企業の国、国家の役割を相当重視して、福祉保障も積極的に追求する日本――の諸制度、およびドイツ――労使共同決定企業の国、同じく国家および福祉を大事にするドイツ――の諸制度に、どれだけ共通点があって、米英のより個人主義的な資本主義とどう違うのか、その相違は、日独型・英米型という対抗類型を設定できるほどはっきりしているのか。そういう問いかけがその研究の出発点だった（「英米型」は、カナダも、オーストラリアなども似たような形だから、「アングロ・サクソン型」とも言う)。

冷戦終焉のすぐ後だったので、ロシア・東欧の人々に「効率的な資本主義は英米型ばかりではないぞ」というメッセージを送る小さい本を早く書くつもりもあった。

ところが、ミシェル・アルベールの有名な『資本主義対資本主義』[*3]に先を越され、ドイツの友人が他の仕事に引っかかったこともあって、のろまな私は『日本型資本主義と市場主義の衝突』を書き上げるまでに一〇年もかかってしまった。

激変の一九九〇年代だった。最初、頭にあったのは、各々が一貫性を持った安定したシステムの類型だった。

◎制度的構造の違い

「無名の当事者が取引し合う市場に統合されたシステム」

対

「知り合う、取引し合う当事者のネットワークに統合されたシステム」

◎人生観・動機付けの構造の違い

「自己利益の追求を、人間にとって当然の基本的な動機付けとして、他人の利益追求を妨害しない程度に規制はしても自由に行わせるべきであるという思想」

対

「もちろんお金はありがたいものだが、人間がなぜ一生懸命、かつ良心的に、創造性と起業家精神を発揮して働くのかと問われれば、お金はその理由のごく一部にすぎない。仕事自体の充実感や、職場の結束、取引関係やその他の社会関係から生まれる義理や人情、さらに働く環境での権力や報酬の配分が公正であるかどうかといった『公平感』などを重要視する態度」

つまり、ファシズムに至るまでの市場・社会通念史を書いたポランニイ[*4]流の用語で言えば、日本やドイツの経済構造は、米英のそれよりも、社会に「埋め込まれ」ているということである。

英米モデルの勝利

ところが、その激変の一九九〇年代、私の主要なテーマも、多少変わりつつあった。日本の近代史は一喜一憂の歴史である。国民は時々自信過剰になり、時々自信を失い、五箇条の誓文の言葉で言えば、「旧来ノ陋習《ろうしゅう》ヲ破リ天地ノ公道ニ基クヘシ」のムードになる。バブル破裂後の九〇年代もそうだった。当時の「天地の公道」は「グローバル・スタンダード」と称され、結局は、アングロ・サクソンの——というよりアメリカン・スタンダードの——輸入だった。橋本の五大改革から、後に小泉改革で固まる、改革狂いの一〇年となった。ドイツにも、英米型に接近しようとする動きがあった。

小泉改革、なかんずく竹中改革。米国の新古典派経済学の大学院で洗脳された経済学者が持ち帰ってきた新自由主義思想が、中曽根政権の時代以来ますます知識人一般、メディア一般の常識となっていった。

◎消費者主権思想に基づく規制撤廃
◎効率の観点からも、道徳的な観点からも望ましい、競争原理の貫徹
◎株主価値の最大化を基調とするコーポレート・ガバナンスの導入
◎株式市場を経済の主軸とし、自己責任の徹底による、肥大した市場主義福祉国家のスリム化

ここに、九〇年代末以降、民主党による官僚排除、政治主導が加わる。

その新しい支配思想・大義名分を公言する人たちの「内心」、「ホンネ」、「実際の行動」のギャップを分析することが、『日本型資本主義と市場主義の衝突』という本[*5]の主要なテーマとなった。結論は、日本でも、ドイツでも、「内心」も、「実際の行動」も、まだギャップが大きいように見えるのだが、段々と輸入思想に適応してきているというものであった。やはり収斂が起こっており、それは一方的な収斂であり、英米モデルの勝利なのである。

しかし、日本やドイツの収斂の対象である「アングロ・サクソンモデル」は決して、固定的な不変のものではない。絶えず進化していくものである。一九七〇年代の米国と二〇〇〇年代の米国は大いに違う。そして日本やドイツが米英モデルに近づいて、それに適応する過程も、過去の三〇年間にそのモデル自体が進化してきた過程と非常に似ている。

その進化の軸とは何か。「経済の金融化」である。

「金融化」とは?

「金融化」は、「グローバル化」と似ている。先進産業国におけるいくつかの個別の趨勢を束ねて総括する言葉なのである。交通や通信の目覚ましい効率化・低廉化を原因とするグローバリゼーションと同様に、金融化の個別の趨勢は相互に働き合っている。そして、社会におけるそれらの相互作用が、権力の配分、収入の配分、富の配分を大きく変え、経済成長のあり方をも変える。

「金融化」現象を取り上げた専門書は少ないのだが、よくまとまった本として、ジェラルド・エプスタイン編の『金融化が進行する世界経済』(二〇〇五年)がある。その中で編者は「金融化」について、次のような定義を提案する。「国内経済に対しても、国際経済に対しても、金融市場、金融業者、および金融企業の役割や、一般人の金融利益を目指す動機付けが段々と増していく過程」。

大風呂敷な概念の細かい定義にこだわるのは能がないので、この定義で行こう。目的は辞書的な意味の確定ではなく、実体経済の解明にある。この定義の中で重要な点は、「段々と増していく」というところである。そして、その段々と増しているものの中身とは何か。それが、次の四つの現象である。

①先進工業国・脱工業国の総所得において、金融業に携わっている人たちの取り分が大きくなる傾向にあること。その原因は次の三つと考えられる。
②金融派生商品（デリバティブ）など新技術の導入によって、貯蓄する主体（家計・企業）と、実体経済において資本を使いモノやサービスを生産する主体との間で、金融業者の仲介活動が、ますます複雑、怪奇、投機的になっていくこと。
③財産権を人権の中で最も重要と見なす結果、それまで一般的に認められていた、ステークホルダー（利害関係者）に対する企業経営者の社会的責任が、ますます「株主」という対象にのみ絞られるよう、コーポレート・ガバナンスの法的制度や経営者の意識・目標が徐々に変わっていること。
④グローバル化の一環として、各国の政府にとって、「国際的競争力強化策」が政策の優先順位の中でますます上昇している。強化する方法としては、「貯蓄から投資へ」などのスローガンの下、国民に対する「証券文化」の奨励にますます重点が置かれるようになっていること。
以下、これら四つのテーマを一つずつ取り上げよう。

金融業者への配分

金融業者が国民所得の中の雇用者所得の内、どれくらいの割合を占めているかを、各国の国民所得統計から読み取ることは難しいのだが、利益所得についてなら、米国においては、長期にわたる統計シリーズが存在する。*6 企業利益を金融業と非金融業に分けた内訳で、一九四六年から記録している。

最初の五年間——すなわち一九五〇年まで——全利益所得における金融業各社の割合は平均九・五%で、変動はあまりなかった。しかしその後、その割合が増し(最初は緩慢に、八〇年代以降、加速度的に)、二〇〇二年には、四一%となっていた。二〇〇三年からは非金融業の利益分がより速いテンポで拡大したため、比率としては低下してきたのだが、金融業の儲け自体は着々と増えていった。二〇〇二年の(名目)三〇〇〇億ドルから二〇〇六年の四六二〇億ドルへと、実質で年八%の増加率であり、GNPの成長率をはるかに超えている。

さすがに、二〇〇八年の第4四半期には、金融業の利益は激減した(第1四半期の三〇%、総企業利益の一五%にまで低下)。微々たる利益低下を経験した一九九四年以来初めての前年比割れであった。世界不況をもたらした「張本人」も多少苦しんだわけだ。株などの暴落を幸いに空売りで儲けた者より、金融資産が蒸発して、大規模の損失を受けた者の方が多かったに違いない。ところが、二〇〇八年のその「百年に一度」の危機がもたらした後退は、金融業利益の継続的成長の、珍しい、そして一時的な断続であった。

またしかし、短い断続であった。米国のドッド=フランク法など、危機を起こさない安定した金融制度を作ろうとする改革は後ほど取り上げるが(3・1節、3・2節)、「金融化傾向」を逆転させるような措置では決してない。二〇〇九年、米国で金融業の利益が総企業利益に占める割合は第１四半期には一五％に落ちていたが、第４四半期には三四％に戻り、二〇一〇年の第１四半期には、さらに上がって三六％になっている。

以上の数字は金融業の利益についてであるが、金融業の国内総生産（ＧＤＰ）に占める比重も、したがってアメリカ経済の金融業に対する依存度も、着々と高まっていった。ポール・クルーグマンの言葉を借りよう。[*7]「ここ数年間、金融業はアメリカの総生産の八％を占めた。一世代前は五％だった。その増加分の三％は、結局何の役にも立たない、無駄・詐欺に費やされた三％だったろう。金額に換算すれば、その三％は、実に年間四〇〇〇億ドルに上る」。

どうして、そのような「無駄・詐欺」がまかり通ったのか。体制批判派のクルーグマンの考えでなく、体制派経済学者の「定説」が思想的制空権を握っていたからである。後者によると、国家規制から解放された、あるいは非常に手薄な形で規制された資本市場が、「見えざる手」の働きによって、世界の貯蓄を、つまり世界の流動資本を、最も有用な使途に配分し、投資させ、効率を、したがって全体的福祉を最大化する。なぜかと言うと、情報をたっぷり持った市場参加者が各々自己利益を追求する結果として、資本市場には、市場に自動制御のメカニズムが備わるからであると。

その自動制御神話を土台とする正統説（正統教）が、米国正統教大僧正、連邦準備制度理事会（FRB）議長グリーンスパンをはじめ、先進国の指導層の共通の考えとなった。なぜそうなったのか。貯蓄する家計や企業者と、事業のためにその金を借りて、生産手段に投資する人との間を取り持つ金融業者の、様々な、そしてますます巧妙になっていく仲介活動を掘り下げて見てみなければならない。

1・2――資本市場の規模拡大

投資とギャンブルの絡み合い

「規模」の一つの例として、有名なシカゴの赤身豚肉先物取引所を取り上げよう。経済学の教科書にある、投機がいかにして実体経済に貢献するかの古典的な例である。先物の価格を見て、生産者が生産計画をより合理的に調整することができるから、益こそあれ、負の面はないとされている。

その先物市場が発達した一九世紀にも、また、将来の需要・供給を予想するのに有用な情報がほとんど今と同様に完備されてきた一九三〇年代にも、ここに投資された金額はさほど大きくなかった。豚肉の生産者が、豚の囲いの整備費、餌代、輸送費、獣医代、手伝いへの支払いなど、つまり実体経済における養豚のためにする投資に比べると、微々たる額であった。ところが、今となっては正確な数字はちょっと摑めないのだが、ある時両者の額は逆転したに違いない。一九六六年、先物契約数は年に八〇〇〇だったが、二〇〇五年には二〇〇万を超えるようになった。[*8] 特に電子契約になってからは、退屈している日本の主婦も立派な赤身豚肉のデイ・トレーダーになることができた。ドットコモディティ社のホームページには、同社が斡旋する「CFD取引」の宣伝がある。いかにも簡単に取引できるような印象を与える。CFDはこう説明されている。

Contract For Difference の略語であり、投資対象の資産（つまり、赤身豚肉）を実際に保有することなく、取引が終了した時に売買した価格の差額（差益・差損）のみをやりとりして終了する取引のことです。

おまけにレバレッジ取引だから、

少額の資金で大きな投資が可能です。証拠金に対して一〇倍の金額での投資を行える魅力があります。

他のものと比べるとCFDは、かなり透明な「金融派生商品」である。指数取引などになるとより複雑で、たとえば、シカゴのオプション取引所（CBOE）で売買されている、株価の変動率の変動率といったような派生商品はギャンブルの領域に入る。アメリカの金融業者が「指数取引スーパー・ボール会議」という妙な団体を作っているのだが、二〇〇四年の会合でその「変動率の変動率」証券が「最も優れて創造的な指数型派生商品賞」を取った。

このような派生商品市場に投資された金額は、元金の何倍かのレバレッジを使うため測りにくい。ただ、国際決済銀行は定期的に派生契約の残高調査を行っている。二〇〇四年末には、店頭契約の総額は一九七兆ドル、市場取引契約は三六兆ドルで、総額約二三四兆ドルだった。二〇〇七年六月には、店頭契約だけで五一六兆ドルに上った。二〇〇六年の世界GNPは購買力平価計算で六六兆ドルと推計されている。つまり派生契約残高が、世界全体の総生産のなんと約八倍になっていたのである。

さて、金融暴走のもう一つの例である。金融派生商品の中には為替の変動に関連するものが多い。ただ、為替取引に関する派生商品以外に、為替の直物市場や「単純な」先物市場もある。一九七〇年頃、つまり為替の変動相場制への移行以後、どんどん拡大していった市場である。国際決済銀行は、そのような派生商品以外の「伝統的な」為替市場における取引についても調査をしている。二〇〇七年四月の調査・推計では、毎日の「出来高」――為替売買の総額――は三・二兆ドルだった。世界貿易機関（WTO）推計によると、毎日の国際貿易の総額は三二〇億ドルだった。つまり、実需一に対して、空需一〇〇ということになる。以上の海外貿易総額の相当な部分が、為替を必要としないユーロ圏内やドル圏内の貿易であることを考えれば、空需の倍率は、一〇〇をはるかに超えていただろう。

急速に膨れ上がる派生商品市場と為替市場は、多様な資本市場の二つの例にすぎない。膨張のメカニズムを支えるのは、国際貿易の拡大と将来の金利や為替の不確実性である。不安定な動きをする金利や為替のリスクに対する保険的なヘッジを買うことは慎重さの現れである。ただ、そのリスクを背負う保険会社や債権者は、それをさらに他者と分かち合う巧妙な方法をいろいろと見つけた。リスクを他者と分かち合うこと。金融技術の絶えざる革新の源泉はそこにある。

証券化

上に行けば行くほど複雑怪奇になるピラミッド型の金融商品の構造。その根本にあるのは、「証券化」という技術である。債権者・債務者の直接の貸借の代わりに、売買可能な「社債」を発行するという慣習は長い歴史を持っている。短期資金調達のための「コマーシャル・ペーパー（CP）」の発行・売買が始まったのは一九二〇年代であった。しかし、住宅ローンや消費者金融の証券化、様々な方法で負債を束ね、「パッケージ」にして、低リスク・高リスクのトランシュ（薄片）に多様に切り分けて売る証券や、その証券の取引から派生するオプション商品は、わりと最近の発明である。

八〇年代に、アメリカでS&L（Savings and Loan association：貯蓄貸付組合）破綻の原因になったのは「住宅ローン担保証券（RMBS）」だった。すでに多数のローンを一つのプールにして、その同じプールのキャッシュ・フローを利子支払い財源とするいくつかの段階の証券を発行する技術ができていた。「段階」（あるいはトランシュ）と言うのは、つまりこうだ。まず、ローン利子未納で裏付けの収入が落ちても、証券の利子支払いが一〇〇％大丈夫なはずのシニア証券（値段も高く、AAA格付け確実なもの）。次に、シニアの利子が払い尽くされてからのみ支払いを受ける、メザニン（中二階〔！〕と称する）劣後債。そしてそれよりさらに劣後になる、ローンのキャッシュ・フローが足りないため、よりリスクが高く、より安い、（うまくいけば）より利子が高いジャンク債。こうした、リスク・リターンの組み合わせの違う様々な商品が発売された。

それに輪をかけるように、こうした住宅ローン担保証券自体を担保として再証券化[*9]する、のちに「ＣＤＯ（Collateralized Debt Obligation：債務担保証券）」と総称されるようになった証券が初めて発行されたのは、一九八七年であった。ＲＭＢＳのメザニン以下の薄片も含めて、いくつかの住宅ローン担保証券の薄片を巧妙に包装して、実質は劣後債が多いにもかかわらず、格付け会社からＡＡＡ格付けをもらえる証券が作られた。こうした新「製品」の開発には、最も優れた大学の最も優秀な卒業生が携わった。彼らのボスたちや銀行の頭取などの理解をはるかに超えた難解な数学を駆使して、銀行幹部たちと同程度のものすごいボーナスを勝ち取った。

これらの市場がその後、雨後のたけのこのように成長してきた。二〇〇六年末、ＣＤＯの総発行残高は約二兆ドルと推計された。証券契約の条件は極端に複雑で、そのリスクの計算はいたって難しいものである。一般の投資家にはとても計測できない。しかし、金融経済の理論家によると、ＣＤＯは、「貸付発祥・リスク配分」モデル（組成販売モデル〔originate to distribute model〕とも言う）のすばらしい例なのである。

「貸付発祥・リスク配分」モデル

短期で（たとえば当座口座の預金の形で）借り入れた金を、長期貸付に使うという「満期変換」作業は銀行の伝統的な役割である。それにはどうしてもリスクが伴う（銀行なら、預金者のパニックによる預金取り付けのリスク）。そのリスクの計算、それに対する保険的な対策の技術は銀行屋の伝統的な知恵でもあるし、そのリスクの最小化、プール化のための、国家レベルでの何らかの義務的預金保障制度を設けることが普通になっている。よって、かなり健全な金融制度が構築されていた。ところが、CDOという、リスク低減の新しい方法が開拓された。担保の怪しい貸付でもRMBSやCDOの形で証券化すれば、その証券を売って、リスクの一部を個人投資家や貯蓄者に転嫁できる。この「貸付発祥・リスク配分」モデルの妙味はそこにあった。

ところが、リーマン・ブラザーズ、AIGなどの崩壊で明らかとなったのは、「貸付発祥・リスク配分」モデル通りには、一般の個人投資家へのリスク分散は効果的にはいかなかったということである。膨張したCDO市場の立役者のほとんどは、最終投資家ではなく、投資家の資産を預かった銀行や証券会社やヘッジファンドであった。CDO市場は、互いに賭け事をするカジノとなっていたのである。「どこそこのCDO証券は、基礎にある住宅ローンが思われたほどインチキでないから買いだ」という「情報」（噂か内部情報）を聞くと、自分が持っているCDOを担保にして、安い利子で金を借り、それを買って、保有「資産」を増やす。パニックが始まって、CDOの価格崩壊が起こると、高く買ったCDOの価値がなくなったばかりでなく、金を借りた担保も反故同然に。実物に裏付けられていなかった

「信用」のピラミッドの崩壊である。

「安い利子で金を借りて」と書いたが、銀行なら、資産に対する自己資本の割合を保つ必要があるので、この利回りの高そうな商品を買うのには限度がある。その限度を乗り越えるために、子会社として、ＳＩＶという代物を作った。ＳＩＶとは、銀行自体の貸借対照表に現れない仕組み型投資主体（Structured Investment Vehicles）のことである。初めてそれに手を染めたのはシティ・グループで、一九八八年のことだったそうだが、現在ほとんどの大銀行がＳＩＶを持っている。ＳＩＶの登場で、金融市場はさらに膨張した。ＳＩＶがより低利の短期証券を発行して、その利ざやで儲けるようにしていたからである。

慎重さのための保険、ギャンブルの保険

ＣＤＯというのは、例の「リスク管理技術」の一つの例にすぎない。もう一つの新技術はクレジット・デフォルト・スワップ（Credit Default Swap：ＣＤＳ）という代物であった。一種の「信用リスク保険」である。基本的には、いたって合理的な金融派生商品である。Ｘ社の社債を持っているとしよう。五年先に額面——一〇〇円としよう——の他、持ち主にその五年間、年率六％の利子を受ける権利を与える社債だとしよう。もしＸ社が倒産したとすれば、利子は受け取れないし、長年の法廷争いの挙句、元手の一部しかもらえない。そのリスクに対する保険として、ＣＤＳ契約を結ぶことができる。保険会社に、たとえば、利子収入

の三分の一に当たる二円の掛け金を毎年払えば、X社の倒産の場合、保険会社が代わって額面の一〇〇円の支払いをしてくれる――といったような契約である。「保険会社」と書いたが、証券会社、普通の銀行、様々な金融業者がその契約を結ぶことができる。

そこまでなら、慎重な投資家のニーズに応える当たり前のリスク管理技術である。ところが、CDSが信用ピラミッドを作り始めたのは、X社の社債自体の所有のいかんにかかわらず、その「裸の」契約のみが売買できるようになった時である。つまり、「X社が倒産したら、一〇〇――あるいは一〇〇の何%――を払う」という約束の売買である。そういう契約を買う金融業者は、X社の倒産と相関関係が高そうなリスクに対するヘッジとして買うこともあるが、多くの場合、X社が倒産する可能性と掛け金のつり合いを見て行う、「裸の」空売りと同じような単なるギャンブルであった。

たとえば、以上の例のように、X社がしっかりした大企業で、その社債保険が一〇〇円当たり二円の掛け金で買えるとする。ところが、何かのきっかけで、X社が急に危うくなって、「市場」の評価では、倒産も視野に入ってくる。その社債の掛け金二円の保険は今度、掛け金八円ででも買い手がつく。掛け金二円のCDSを持っていて、X社が実際破産した場合、一〇〇円をもらう権利を持っている金融機関が、掛け金八円のCDSを発行する。X社倒産の場合、一〇〇円がもらえ損失のないことは変わらないが、倒産しなければ、社債の寿命が続く限り、掛け金八円のCDSを発行した金融機関は毎年六円の儲けとなる。この例の六や一〇〇の単位、円を実際の億円に換算するとわかるように、些細な儲けではない。こういう市場は、いわゆる「小売金融」ではなく、「卸金融」の世界である。

ＣＤＳ契約の売買も店頭契約がほとんどで、二〇〇七年には、暗雲漂う状態がますます深まって、株価の変動が激しくなった。「市場判断」で様々な企業の倒産確率が高まり、ＣＤＳ市場がさらに拡大した。ある計算によれば、二〇〇八年九月にリーマンが倒産した時、リーマン社債の発行残高は一五五〇億ドルだったが、リーマンが倒産して、社債が反故になると、全額あるいはその一部を払うというＣＤＳを発行した銀行の債務の総額は四〇〇〇億ドル以上に上った。つまり、実際リーマンの社債を持っている者の保険という形のＣＤＳ契約よりも、単なるギャンブルとしての「裸の」ＣＤＳの方が二・五倍も大きかったわけである。国際スワップ・デリバティブズ協会という団体によると、ＣＤＳの引き受け債務の残高は、二〇〇七年中に三七％増えて、年末には六二兆ドルとなっていた。[*10]

大量破壊兵器

二〇〇八年に、ベア・スターンズをはじめ、その債務を引き受けた金融機関が倒産したり、倒産しそうになったりして——特にＣＤＳを大量に発行していたＡＩＧの国有化の後——大混乱の中、ＣＤＳ市場がパニック状態になった。債務を引き受けた銀行が、債務履行のための流動性獲得の方法として、債権者になっているＣＤＳを売り払おうとしたのだ。皆が同時に売ろうとすると、買い手がなく、CDS証券の市場価格はゼロに近づいてくる。パニック状態になるのは当然であった。

ジョージ・ソロスは、「CDSは大量破壊武器」だと言う。「ゼネラル・モーターズなどの倒産を考えよ。その社債の持ち主の多くにとって、GMの再編より、倒産した場合の儲けの方が大きかった。人の生命がかかった保険の持ち主に、同時にその人を打ちのめす免許を持たせるようなものだ」と。[*11]

それは、互いにギャンブルにすぎないCDS契約で、双方が正直である場合でもそうである。しかし、正直でない場合もあった。二〇一〇年の四月、米国の証券取引委員会(SEC)が訴訟を起こし、明るみに出たのが、ゴールドマン・サックスのアバカス事件だった。「アバカス」(Abacus:そろばん)とは、CDOで、CDSの性格も持つ。最も複雑で内容が分かりにくい、いわゆるシンセティックCDO(合成資産担保証券)であり、その価値は、内容となっている住宅や自動車など消費者ローンの質による。ゴールドマンはそのアバカスの内容の選択をジョン・ポールソンに委ねた。ポールソンとは、個人財産一二〇億ドル、フォーブズ社の金持ち番付表で四五番目のヘッジファンド経営者である。二〇〇七年以来のサブプライム危機以来、CDOの空売りなどで彼のファンドは儲け、彼個人の報酬は三〇億ドル以上だったそうだ。[*12]このアバカスも、市場価値を失うことを見込んだギャンブルで、空売りするつもりだったのだから、彼に内容の選択を委ねたことも、そして他の銀行にアバカスを売りつけ、「第三者選択」とだけ言って、ポールソンが関わっていることを隠したのも明らかに詐欺だった。

ところが、多くの場合そうなるような法廷争いになる前の七月、和解となった。ゴールドマンは、ポールソンの役割について触れなかったことは「間違いだった」と言ったものの、証券取引委員会の和解時のいつもの台詞だが、詐欺については「認定も、否定もしなかった」。罰金は、ジャーナリストがこぞって手ぬるいと評する、五五〇〇億ドルだった。そのうち、三〇〇〇億ドルは高い利回りに惑わされてアバカスを買って損をした、ヨーロッパの銀行への賠償だった。

穿ちすぎという人もいるのだが、訴訟が発表され、ゴールドマンの株が二〇%安になり、ウォール街に対する悪評に拍車がかかった四月は、米国上院で金融規制のドッド＝フランク法が難航していた時だった。和解の発表がその法案可決の一時間後だったのは偶然ではなかったろう。

インチキを最小限に抑える方法

いずれにしても、ゴールドマンの「間違い」が、法廷で犯罪とされる間違いであったかどうかは疑問で、「和解」しかありえなかっただろうという説は正しいだろう。トヨタ自動車とゴールドマンの、アメリカでの失態、悪評に対するそれぞれの社のPR活動を分析したピーター・グッドマン[*13]は、なるべく隠し、蓋をしようとして大いに損をしたトヨタと、開き直ったゴールドマンとの対照性を強調している。ゴールドマンの「何が悪いのか」との言い分は、ゴールドマン側の弁護士の言葉で言えば、「悪いことはしていない。ゴールドマンは、非常に高度な知識を持った投資家に、こちらが勝てばあちらが損するような賭けの機会を与えるサービスを提供しただけだ」。

つまり、「銀行の役割の一つはカジノ機能である」という言い方が、被告の弁護として立派に通ってしまう。そのような前提に立てるということ自体が、いかに金融制度のモラルが退廃しているかの証拠でもある。そしてシンセティックCDOは、システム全体のリスクを増大させる取引でもある。『ファイナンシャル・タイムズ』紙のジャーナリストが書いている[*14]。

この取引の総括的な帰結は、金融制度自体におけるリスクの増大、不安定さの増大であった。この商品を買った銀行は前より大きなリスクにさらされた。「注意すべきは買い手である」（caveat emptor〔買い主危険負担〕）と言えることは言える。注意すべきは、大きな金融機関だったに違いない。しかし、そもそもなぜそのようなギャンブル取引を規制当局が許す必要があったのか。

これは単なる泥縄の知恵ではない。その当時でもシンセティックCDOは常識に反する馬鹿げたものに見えた。それを有用な金融商品と多くの人が信じえたということが、バブル時の心理の性格を露呈している。

そのようなギャンブル取引が許されるべきかどうか、「金融改革」の重要な一環として、二〇一〇年一一月のソウルでのG20会議まで、熱心に論じられていた。ただ、段々と「性悪説」に基づいた改革しかできないことが明らかになり、改革者たちの元気がなくなった。「性悪説」と言えば、イギリスのFSA（金融庁）がG20が始まった日に予告した新規則がいい例である（発表のタイミングが偶然だったかどうかは不明）。つまり、イギリスの金融機関で主要な取引をする従業員、一万六〇〇〇人くらいが、仕事には会社所有のケータイしか使えないことになるというのだ。会社は、従業員のケータイの通話を全部録音し、六か月保存しなければならない。[*15]

インサイダー取引など、インチキな取引はどうしても起こる。人間はそういうものなのである。それを最小限に抑える方法は一つしかない。不正をして儲ける機会そのものを少なくし、不正のコストをより確実に払わせること、そしてそれをより高くすることである。二〇〇九年の一年間、FSAが科した罰金の総額は三六〇〇万ポンド（約四〇億円）だったが、二〇一〇年は、最初の一〇か月だけでも、八三〇〇万ポンド（一〇〇億円弱）に上った。

「資産」の意味

米英のジャーナリズムでは、CDSなどの市場の崩壊、CDOやCDS契約の価値損失を、証券の「毒物化」(turning toxic) と言う。時価会計だから、何十億と計上された資産がゼロに近い値で計上されるようになり、価値を失う。

そもそも「価値」の損失とはどういうことか。まず、資産評価には二通りの方法がある。一つは、その資産から得られそうな収入のフローを計算して、その将来の収入の現在価値を取るもの。たとえば、土地や住宅などの資産の場合、年々の家賃収入マイナス維持費ということになる。もう一つの方法は、その資産を売りに出してみるものである。人が買ってくれる値を価値とするのだ。市場信奉者の基本的概念の一つ、いわゆる「市場の効率性仮説」(efficient market hypothesis) によれば、市場が十分に大きくて流動的であるならば、その両方の方法で得た数字は一致するはずだ[*16]。

ところが、CDO、CDSなどのデリバティブ市場で取引されていたのは、住宅のようなものではない。住宅なら一応の確率で家賃の計算が可能だ。そして火災保険がかけられる実物である。デリバティブはそれと違って、結局は単なる「約束」であった。「こんな場合にこう払います」という約束である。相手が夜逃げしたり、倒産したりすると、明らかに価値を失う約束だが、二〇〇〇年代前半のように、倒産が少なく、長年続いた好景気の時は、信用(市場参加者の相互信頼)によって、その約束の価値が保たれ、それを金融業者の「資産」として勘定することはおかしくない。

しかし、一旦景気が崩れて、たとえば、ベア・スターンズが倒産し、リーマン・ブラザーズが危ないという噂が立つと、それらの「約束」でしかないCDOやCDSを持っている機関はそれを売ろうとする。また、そういう「約束」を発行した他の銀行などが、その約束を履行しなければならない時、資本として取っておいてあった、他社の「約束」でしかないCDOなどに価値下落の可能性が見えてきている場合、売って現金に変えた方が賢明だと考える。結果、わずかのハゲタカ・ファンドしか買い手のいない買い手市場になって、ゼロ価値証券、いわゆる「毒物化した証券」を抱えた機関が、リスク欲を失い、パニックに陥る。いわゆる「金融メルト・ダウン」の様相である。

「信用」を裏付けていた二つの要因

このように膨れ上がった信用バブルだが、これを構築する「リスク欲」旺盛な金融業者の「勇気」は一体どこから来たのか。一つの答えは、金融業における、従業員の報酬システムにある。「所定内給与」よりも、個人個人の取引の出来高に応じて期末に支払われるボーナスの方が大きい。そのため、リスクの高さを承知の上で、「ボーナスは自分に、リスクは会社に」という、欲に駆られた無責任な取引もザラであった。

もう一つは、「リスク管理モデル」に対する信頼の過剰であった。「リスク管理」とは、銀行の支店長が、借り手の人物や事業計画を見て、あるいは提供される担保の価値を判断して金を貸すといったような原始的なものではない。ノーベル経済学賞受賞者の優れた頭脳から案出されたような、「洗練された」数量モデルを使いこなすことなのである（たとえば、オプション価格の計算でノーベル経済学賞を受賞したロバート・マートンとマイロン・ショールズの数量モデル）。近年CDO市場の拡大を大いに刺激した要因の一つは、いわゆる「ガウス型コンピュータ・モデル」の発明・普及だったとされている。[*17]

ところが、こういうモデルには一つ、どうにもならない欠陥がある。操作する価格データ、価格変動データが、すべて過去のものであることである。将来は大体過去と同じようなものだという前提にしか立てない。ところが、将来は違うかもしれない。統計データの基礎にあるのは人々のミクロ行動だが、慣習が変わることもある。たとえば、アメリカ人は過去、借金がたまりすぎた場合、まず支払い不履行にするのは、自動車ローンやクレジット・カードで、住宅ローンは最後まで何とか払おうとしてきた。ところが今回の危機では、むしろ、真先に住宅を放棄するケースが多かったそうだ。[*18]

普通使われているモデルの主要な関数――たとえば特定の証券の歴史的変動性――は、二〇〇八年の秋以降のように、普通株などが未曽有の激しさで上がり下がりするようになると、全く用をなさない。オバマ米大統領の経済顧問会議の議長になったサマーズ氏がすでに、二〇〇八年の六月に書いているが、「モデルによれば一〇〇万回に一回と言った確率でしか起こりえない出来事が、実際相当な頻度で起こって、大企業がそれでひどい打撃を受けた例は最近ザラにある」[*19]。危機から一年経った後の銀行頭取の「告白」だが、「銀行が使っていた

『リスク管理システム』というものは夕立のリスクをカバーしはしても、台風を計算に入れていないことは明白なはずだった」とも言う。[*20]

百年に一回来る、高さ一二メートルの津波を想定して作られた海岸防護壁は、千年に一回くらい来る一四メートルの津波が来ると、破壊される。ただ、金融危機は、天災と違って、人災だった。

変動性が増してきて、パニックになったのは、人間であるトレーダー、銀行の頭取たちであった。昨日、一時間前と、新しいデータを入れて、モデルの関数を調整すると、「どんな取引でもリスクが爆発的に上昇するという結果が出てくる。こうして、今、銀行が急いで資産を売ったり、ヘッジファンドへの出資を引き上げたりして、さらに資産価格を押し下げている」。[*21]

結果、貸し渋りどころの話ではない。負債返済が急務となった企業や家計の消費財・資本財の需要が減る。モノやサービスが売れなくなり、実体経済は、普通の融資さえ断られるというダブル・パンチを受ける。倒産、大量解雇が日常茶飯事となる。救い主は国家しかなくなるのである。

危機への対応

今度の危機の特徴は、世界中の政府が、特に世界経済の鍵を握っているアメリカ政府が、珍しく早く腰を上げて対策を講じたことである。イギリス政府は、二〇〇八年春、破産状態になったノーザン・ロック銀行を国有化するまで、半年もぐずぐずしたのだが、米国政府はすぐ、金融システムへ大量の公的資金を投入、実質国有化という手段に訴えた。

そうして、またしてもモラル・ハザードが大問題となった。金融システム崩壊、不況深化を防止する唯一の方法として、銀行の救済に国民の血税から法外な額を投入するのは、「公益への貢献」には違いない。ただ同時に、「ウチは、大きすぎて潰せないから（Too big to fail）、どうせ救ってくれるだろう」と安心して、私腹を肥やす無責任なリスキー・ギャンブルを奨励する結果にもなりかねない。不可避のジレンマである。

アメリカでは、リーマンを倒産させたポールソン財務長官が、無責任な連中に自業自得の教訓を与えたと、称賛のエールを浴びたと思ったら、次の日には、同じく倒産寸前のＡＩＧに膨大な資金を投入して、実質的に国有化した。ＡＩＧは大量のＣＤＳを発行していたので、破産の連鎖がどこまで及ぶか測れない、金融システム全体がパンクするかもしれない、と判断したことによる決定だった。

モラル・ハザード問題も含めて、今後の金融システム規制については後述するが、ここで注意に値することが二つある。一つは、当局が介入するのがわりに素早かったこと、もう一つは、たとえば、りそな銀行処理まで日本で普通だった、劣後債の形で公的資金を投入することに留まらず、銀行に大量の普通株を発行させ、実質的に銀行の所有権を握るという国有化にまで手を伸ばしたことである。もちろんアングロ・サクソンの国の指導者たちは、民活主義、市場原理主義の堅持を唱え、「混合経済時代の社会主義への逆戻りではない。一時的な、やむをえない対応でしかない」と宣言した。

ただ、新自由主義者のそんな強がりは自己欺瞞にすぎない。金融業の実態がこうまで暴露されたのだから、「序文に代えて」で書いたように、サルコジやシュタインブルックが言う「アングロ・サクソン資本主義の終焉」は必然的だろう。国家にしかできない、自由市場の合理的規制の必要性が今や明らかになった。昔の混合経済に戻る可能性が高いと、私も含めて、少なくない経済学者が考えるようになっている（『ファイナンシャル・タイムズ』紙は、「資本主義の将来」と題して、連日、革新的思想の持ち主に投稿を求めた）。

しかしこうした見方は、これを書いている二〇一一年六月時点では、人間の合理性への信頼過剰のように思える（3・3節、3・4節参照）。米国の大銀行は、金融業の本質も、報酬体系も、利益追求の「がむしゃらさ」も、そして取引方法も変えず、公的資金をすぐ返済してしまい、政治家を圧倒する力を取り戻した。万事平常通り。ただ、勝負はまだ終わっていない。一九二九年の金融危機が本当の思想革命を遂げるのには一五年かかった。ユーロの崩壊、米国経済の破綻、二番底など言いふらされている二〇一一年の夏、この先はまだまだ読めない。

私は「今後の世界は相当変わるだろう」と思うのだが、その根拠の一つが、日本の経験である。より正確に言えば、りそな銀行の準国有化である。それは、バブルがはじけてから一〇年以上、金融危機に陥った一九九七年からも五年以上経ってからの出来事だった。日本でも、「大企業は倒産させない」というのが暗黙の了解だったが、旧大蔵省の榊原英資などの「競争一点張りの近代化派」がいよいよ優勢となって、そうした了解を破棄して、一九九七年、北海道拓殖銀行と山一證券を倒産させた。日本版リーマン・ショックだった。その心理的影響が、アジア危機、そして財政引き締めと重なって、回復しつつあった景気を決定的に窒息させたのである。

日本が本物の景気回復の道についたのは、それから六年経った二〇〇三年である。そのきっかけとなったのは、銀行への資本注入がすんだ後の二〇〇三年、りそな銀行を準国有化して、財務省がもう「競争第一、倒産は倒産」という一九九七年の厳格な線にこだわらないことを示したことだった、という説もある。もし一九九七年、北海道拓殖銀行、山一証券を潰さないで国有化していたならば、それ以降のパニック気味の金融危機はそれほどひどくならなかったはずだ、という説は正しいのかもしれない。

さて、金融危機への対応が素早かったと言っても、金融システムが少し安定してくると、危機の実体経済へのしわ寄せがいかにひどいかが明らかとなってきた。「百年に一度」のと言われるほどの深刻な不況の兆候が明確となったのである。一九三〇年代に比べると、二〇〇九年四月のロンドン会議で発表された主要国の対策は、会議前の悲観的予側に比べると、比較的大胆で、タイムリーかつ協調的だった。ただ、その効果については大いに疑問が残る（3・1節であらためて検討する）。

金融業モンスターの生態

さて、金融化、つまり金融業者に実体経済に対する覇権的影響力を持たせた三つの要因の一つ、金融技術の発達、金融業内部の発展の過程を要約しておこう。実体経済においてモノやサービスを生産して消費する人々が必要とするのは、①融資、②貯蓄に対する妥当と思われる利回り、そして③不確実性に対する保険、の三つである。そのニーズに応えるに際して、金融業者は、「資金効率を高め、不確実性を最低限にする」と称して、膨大なギャンブルの上部構造を構築してきた。そのことによって、他業種には見られないほどの所得水準を獲得することができた。しかし、究極的には、その収入源である手数料、取引コスト、資産管理コスト、ヘッジ・コストなどの負担は、実体経済の人たちが負っている。

昔、短期的預金を長期的貸借に変容して産業資本を形成するという、金融業の基本的な機能——専門家が言う「満期変換機能」——を果たしていたのは、主に普通の銀行だった。貸借契約は一、二ページだった。学者は、銀行が媒介するそのようなシステムを「間接金融」と称する。一方、証券化された世の中で、ギャンブルの上部構造を管理する証券会社を通じて（何十ページにもわたる契約を結び）、証券販売の形で資金を調達する方法を「直接金融」

と言う。この妙な事実転倒の用語を通じ、金融経済学者は、金融業者に加担しつつ、このような金融技術のバロック的複雑さを、いかにも「進歩的」であるかのように強調して、人々を洗脳してきたのである。

日本でも、金融庁の二〇〇四年の「金融改革プログラム」や、二〇〇七年の「金融・資本市場競争力強化プラン」から、民主党政権下、田中直毅を会長とする二〇〇九年の「金融審議会金融分科会基本問題懇談会報告」まで、「直接的な」市場金融の方が、「間接的な」銀行金融より近代的でよいという考えをにじませている。もっとも、これらの報告書では、日本の金融システムは実体経済に効率的なサービスを提供しているか、という問題より、どうやったら東京資本市場を、シンガポールや上海に負けない、アジアのナンバーワンにできるかという意識の方が先に出ているようだ。経済価値の創造より、国威発揚が問題であるらしい。

最近、不況となったため、ケインズの言葉が引用されることが多くなってきた。よく出てくるのが次の文章である。「資本的成長を遂げる一国の事業が、カジノの副産物となった時、その事業が効率的に行われる可能性は少ない」。そのカジノが一国のみのカジノではなく、グローバルなカジノである場合にはなおさらだろう。

1・3――実体経済の付加価値の配分

経営者資本主義から投資家資本主義へ

金融市場における取引コストや管理コストの多様化とその額の増大が、実体経済の人々の犠牲において金融業が利益を拡大してきたメカニズムの一つである。もう一つ、金融業が徐々に覇権的地位を獲得してきたメカニズムがあり、それは、コーポレート・ガバナンスに関する法体制によって株式資本所有者の権利が強化され、その強化された権利が徹底的に行使されるというものである。

この面においても米国が先導役を果たした。エプスタイン編『金融化が進行する世界経済』の中のジェームズ・クロッティの論文[*22]には、金融業以外の米国企業についての次の報告がある。(純)利子、配当、および自社株買いに使った金額を総括して、「金融市場への支払い」とし、その総額のキャッシュ・フロー(利益プラス減価償却)における割合を計算すると、ここでも増大の傾向が明らかだ。一九六〇年代の前半は、平均二〇%だった。つまり、キャッシュ・フローの八割は投資、内部留保に当てられた。一九七〇年代になると、「金融市場への支払い」の割合は平均三〇%で、上昇傾向は明らかである。この上昇傾向が一九八四年以後加速して、一九九〇年にはついに七五%に至った。九〇年代は、前半は下降傾向にあったが、二〇〇〇年には七〇%に戻っていた。

この数字から、「米国型資本主義」の重要な変化が読み取れる。大企業の実質的支配力の、経営者から所有者への移行という変化である。一九六〇年代、取締役会の中で決定的な発言力を持ったのは、事業を熟知し、従業員、協力会社などとの日常の交渉から生まれる義理も意識して、その知識や姿勢を誇りにし、自分の権威の根拠ともする経営者であった。二〇〇〇年代には、資本利回りの最大化のみに関心を持つ所有者、および所有者を代表する金融業者の方へ最終的な権力が移った。

ハーバード・ビジネス・スクールのラケシュ・クラナは見事な洞察力を駆使してこの大変化を、「経営者資本主義から投資家資本主義への移行」[*23]と、称する。ガルブレイスが『新しい産業国家』を書いた一九六〇年代は、一九世紀的オーナー経営者支配の時代が過去のものとなった、職業的経営者の最盛期だった。チャンドラーがその名著で分析した[*24]、一九二〇—三〇年代の「経営者革命」が成熟を迎えていた。株式所有がかなり分散し、起業者のオーナーも、大株主も少なくなっていた。

配当水準としてどのレベルが妥当であるかについて、株主の期待がわりに安定していた。そして、経営者たちは株主のそういう期待に応える責任を十分認めながら、同時に、当たり前の賃金で雇用機会を作り、客に質の高いモノやサービスを適当な値段で供給し、地域社会に貢献することなどにも同等に重きを置いていた。株主への奉仕は、経営者の経営目標の一つでしかないとされていた。また、そのような経営を可能にするための経済環境、技術開発環境を整備するために、国家官僚と密接な対話を続けることは、財界で指導的役割を果たすための重要条件とされていた。

二〇〇九年六月のオバマ大統領による「企業経営者の報酬規制」についての提案を、「物足りない」とこっぴどく批判した論者は、その「責任感のある経営者」の時代を振り返って、こう書いた。[*25]

一九七二年、アメリカの代表的企業であるゼネラル・エレクトリックの社長になったレジナルド・ジョーンズ氏が、社長就任演説をした。曰く、「もちろん私の使命は株主に代わって、ゼネラル・エレクトリックをいつまでも優良企業であらしめることだが、同時に従業員に対しても、顧客、地域社会、国家に対しても、同じ程度の責任を負っている」。その演説の中で一回も、「経営者」に個別の利害主体として触れることはなかった。彼にとって、経営者とは、他の従業員と区別されるものではなかったのである。

第二次大戦後の三五年間、ジョーンズ氏のような経営者は、真摯な責任感を伴う公正な経営行動を、「アメリカの理想」の重要な要素と考えていた。

その期間、財界・産業界の指導層の報酬は従業員の平均給料の大体二〇倍か三〇倍だった。現在でも、他国ではその程度である。イギリスでは二二倍、カナダでは二〇倍、日本では一一倍である。

ところが、アメリカではトップの報酬が螺旋を描いて上昇し続けた。最近のある推計によると、年金ファンドへの掛け金も含めた平均的な大企業社長の報酬は、三〇年前には平均賃金の二五倍だったが、今や四七五倍になっている。[*26]

優先順位の変化

六〇年代当時、ビジネス・スクールのスローガンとして、「Management as a profession」という言葉がはやった。「profession」は、訳し難い言葉である。「自由職業」と訳すと、「雇用者ではない」という意味が強く出すぎてしまい、英語の「profession」が持っている「社会に対して責任感を持つ行動が期待されている」というニュアンスが含まれない。つまり、経営が立派なプロフェッションだという主張は、経営者たちは、医者や弁護士と同じような社会的役割を果たし、自分の知識・技術に基づく権威・権力を乱用しないような自己規制能力を持つ人間として、同じように尊敬されるべきだという趣旨を包含するスローガンだった。自分の報酬を決定する際の自己規制も、その趣旨に沿ったものであった。

今日のような投資家資本主義の時代では、アメリカの経営者の自主性は相当に制限されている。株主の利益増大のみを目標とする取締役会の、細かい管理の下で経営をしなければならない。場合によっては、取締役会自体が、株の相当数を持っている大株主に牛耳られている。そうでない場合でも、「株主利益の番犬」として任命されている社外重役が多数おり、取締役会を支配していたりする。

経営者の目標やモチベーションは、社会への貢献、産業界における企業の地位の向上、社史に「名社長」として名を残すことなどよりも、彼に向けられる「鞭と人参」の方が優先されがちである。つまり、一方では、ストック・オプションや複雑な式で計算されたボーナスの魅力、もう一方は、利益を十分出さない経営をしたら、たちまち首にされるという懸念。この鞭と人参は、社長になった時、弁護士を入れた交渉で結んだ契約に細かく規定されている。給料以外に、年金への掛け金、ボーナス、首にされた時の手切れ金はいくらかなど、あらゆる規定が、株主の期待に応えることを最大目標とさせるインセンティブである。そして、昔に比べると、「株主の期待」も変わった。安定した利益や配当の水準を保つことより、毎年、前年以上の利益・配当を出すことが求められている。

クラナ氏は、「経営者は投資家に雇われた召使となった」と要約する。

ところが、その形容が示唆する上下関係は一〇〇パーセント正しいというわけではない。以上のインセンティブがなかったとしても、現代米国の典型的な社長たちにとって、「親分の」投資家との一体感は決して持ちにくいものではないからだ。個人投資家も、年金ファンドの経営者も、事業会社の経営者も、同じ文化、同じ世界観、同じ価値観、同じ行動性向を分かち合っている。トップ経営者の使命は、生産、研究開発、人的資源の開発などの細かい制度整備より、営業基準を組織内部の収益最大化に対応するように制定したり、赤字部門を切り捨てたり、最も利回りのいい部門の拡大を図ったり、M&A(企業の合併・買収)戦略をうまく練ったりすることとなっている。

そして、どれくらいが「適当な報酬」であるかという問題になると、投資家も経営者もさほど考え方は違わない。事業会社の社長たちの報酬水準は、金融業者のそれと歩調を合わせて螺旋的な上昇を見た。イギリスはまだ経営者報酬の点でアメリカに後れを取っている。「実質賃金上昇率二%、社長の平均報酬上昇率二〇%」という数字が毎年のように発表されている。メディアで憤慨の声が高まると、決まって労働党の政治家が、年金ファンド、保険会社などの、投資家側の経営者に訴える。「あなた方が管理しているファンドの利益を、つまり将来の年金生活者の収入を犠牲にするような、経営トップの非常識な報酬をなぜ許すのか。株主総会でどうして反対票を出さないのか」と。自由市場主義を是とする労働党としては、そのようなアピールしかできないのだが、効果はない。年金基金の管理をしている金融専門家は、自分たちも同じ水準の報酬を期待しており、それに反対することは、同僚を裏切ることになるばかりでなく、ゆくゆくは自分も損しかねない行為となる。

経営目標における優先順位の変化は、一般従業員の待遇、どれほど「気軽に」余剰人員を解雇しているかにも現れている。一九九〇年代前半の日本のように、社員の首を切って人員整理することを躊躇する場合、生産量が落ちるのに比例して労務投入量は減らないから、労働生産性（労働時間当たりの生産性）は下がる。アメリカでも一九八〇年代初頭の不景気では、労働生産性が四・四％落ちた。ところが、二〇〇八年の第3四半期から二〇〇九年の第1四半期までの間に、アメリカの労働生産性は落ちるどころか、二・〇％上がった。[*27] 危機の真っ只中において、一九九〇年代と違って、経営者が利益率を維持するために、どれほど素速く人員整理を行うようになったかを物語る数字である。

資本の再集中化

米国資本主義のかかる進化はどう説明できるだろうか。あらゆる大きな歴史の趨勢同様、非常に複雑な過程ではあるが、様々な要因の中で、次の二つが目立って重要である。一つは、資本の所有構成――というより、資本所有者の委託を受けた管理者構成――の変化である。もう一つは支配的思想の変化である。

一九一〇年、マルクス系経済理論の大家、ルドルフ・ヒルファーディング（第一次大戦後ヴァイマル共和国ドイツの大蔵大臣となった）は、自分の生まれ故郷のオーストリア＝ハンガリー帝国の経済構造を分析して、『金融資本論』という本を書いた。金融資本が産業資本に対して優勢となりつつある過程を描いた。事実、当時のオーストリア＝ハンガリー帝国では、資本の所有が少数の銀行などに集中しつつあった。

同じ頃の米国も同様だった。特に鉄道、鉄鋼などの基幹産業においてそうだった。J・

P・モルガン、ファスト・ナショナル、ナショナル・シティの三つの銀行の重役たちの個人資産総額は実に二二〇億ドル以上だった。ある判決で、最高裁の名裁判官ルイス・ブランダイスは、彼らの富を評して、ミシシッピー以西の二二州の不動産を容易に買い尽くせる額だと言った。

ところが、一九三〇年代になると、逆に資本の分散が経済学者に注目される話題となった。アドルフ・バールとガーディナー・ミーンズの力作[*28]は、米国の大企業の資本所有パターンを分析して、いかにしてそれが分散していき、結果として、小株主の集まる株主総会が経営者に対して規制を加えることができなくなっていったかを語っている。権力が経営者に集中していったことについて、著者たちはアンビバレントである。オーナーが同時に経営者でもあった時代へのノスタルジーが多少あったのだろう。工業国アメリカを築いたのは「積極的所有者」たちであり、株を持つということが彼らに「積極的所有権」を与えた。

しかし株は、自由に、流動的に、そして頻繁に売買されるようになる。こうして、大企業の株を少しだけ持つ無数の株主が現れたが、彼らが手にしているのは「消極的所有権」でしかない。こうした変遷は歴史的事実であり、それでは今後どうするかということになるが、選択肢は大体三つあると言う。

一つ目は、今日「株主価値説」と言われている、「信託としての大企業」構想を積極的に普及させようとすることである。つまり経営者の「経営権」は、実質的には、権利というより義務である。株主の利益を最大化することだけが使命とされる。そうすると、米国の産業は、仕事もせず、責任も取らない証券所有者の利益のためにのみ、運営されることになる。[*29]

もう一つの選択は——当時多くの学説に支持された選択だと言うが——所有者・経営者間の契約関係が実質的に変わり、「個人所有権」の概念が実質的に修正されつつあることを認める選択だ。選択と言うが、実際は経営者の実質的裁量を承認することである。しかしそれは、所有者が「準契約的に」、「経営者が自分の思うように会社を運営し、場合によってキャッシュ・フローの一部を私物化しても文句が言えないということを認めることになる」。もしかすると、「大企業寡頭階級による企業収奪の時代を招く可能性がある」（正にそういうケースの古典的描写として、B・バローズとJ・ヘルヤーの『野蛮な来訪者』を参照のこと）。[*30]

そこで、第三の道もあると言う。今の言葉で言えば、「社会の公器」の制度化である。「もし産業界の指導者が、公正な賃金、雇用の安定、顧客への良心的なサービス、経済循環の安定などを含むプログラム——当然、消極的所有者の利益に多少食い込むプログラムになるのだが——を提案したら、そして国家共同体のコンセンサスがそのプログラムを、産業を取り巻く難しい問題への論理的、かつ人間的な解決策だとして受け入れられたなら、消極的所有者の利益はそれに道を譲るしかないだろう」。

株式所有の分散状態

一九三二年のバールとミーンズの結論は以上のようなものだった。一九六七年、ジョンソン米大統領による「貧困をなくすグレート・ソサイエティ」という福祉制度構築案の発表から三年後、彼らの本が再版された折に、二人そろって新しい序文を書いた。経済学者のミーンズは、主としてインフレ対策の問題を取り上げたが、法学者のバールは、いかに米国が「社会の公器」モデルに近づいて来つつあるか述べている。

生産に使う資産の所有「権」はアメリカの民主主義プロセスを通じて案出された「文明とは何か」という観念と整合するものでなければならず、そのことはますます常識となりつつある。「法人企業の工場、機械、組織は企業自身のもので、勝手に使えるのだ」と言いうる立場にある企業は少ない。大企業ならば、全然ない。法人企業とは、本質的に政治的に構築された存在である。消極的所有権——特に普通株所有権——は、ますます「資本」としての機能を失いつつある。資本蓄積に回す必要のない流動的な富を配分するメカニズムにすぎないものとなる。企業には施設の維持や新しい投資のために利益の一部を使う権利がある、というより、義務がある。同時に株式所有者が、株収入を消費に、あるいは投資に使う権利は、個人生活を営む権利として当然守られている。[*31]

キューバ・ミサイル危機後、冷戦が経済システムの競争という方向で「解凍」しそうだった一九六〇年代の、楽観主義の典型的な表現である。

ともかく、バールとミーンズが見事に分析した株式所有の分散は、結局チャンドラーが描いた経営者の創造的組織作りの条件であって、ガルブレイスが指摘した経営者の社会的責任意識の条件でもあった。六〇年代以後の日本で、株の持ち合い、安定株主工作が「日本的経営」の規範化の条件であったのと同じように。株式所有の分散に加えて、無名でも消極的でもない、大株主、中株主（企業の株の二―三％を持っている株主）のほとんどが、当該の会社と同系列の銀行、保険会社、事業会社であったことも、アメリカにはない日本的経営の重要な特徴であった。

ところが、株式所有の分散状態はアメリカで長く続いたわけではない。特に一九八〇年代から、年金基金、保険会社、投資ファンドの発達の結果、株式資本の再集中化がますます加速した。そうした機関投資家の米国上場企業の株式所有のシェアは一九六〇年には一二％だった。一九九〇年には四五％、二〇〇五年には六一％となっていた。最大手の一〇〇〇の米大企業の株保有のシェアは六八％であった。[*32]

機関投資家なら、売り逃げしようとすると、株価が下がり損をするほど、一つの大企業の株保有高が大きくなったため、ハーシュマンの有名な「逃避か発言かの選択」で言えば、発言しか選択できない。したがって、「物言う株主」となった。サンフォード・ジャコビーは、アメリカ最大の年金基金の一つ、カリフォルニア州職員退職年金基金（CalPERS）の活動をこう要約する。

様々な手段を使って、株主第一主義の原理を通そうとした。取締役会における社外重役の地位強化、敵対的買収に対する防衛壁の弱化ないし廃止、配当・自社株買いなど、株主への還元の増加、経営者報酬のパフォーマンス連結強化など。戦術も多様だった。総会での株主提案、パフォーマンスの悪い経営者へのメディアでの攻撃、乗っ取りや専門のファンドも含む他の大株主との提携など。[*33]

しかし機関投資家も少しずつ変質してくる——特に「展望短期化」の方向へ。一九八〇年代の典型的な機関投資家（年金基金や保険会社）は、長期展望を持った投資家だった。企業の短期的な利回りに関心があると同時に、企業の長期的成長にも関心があったため、キャッシュ・フローを企業内投資に向けることにはさほど反対はしなかった。ところが一九九〇年代、従業員ばかりでなく投資を犠牲にしても、短期的利回りの最大化を目標にしろという圧力が経営にのしかかってきたが、これは主としてヘッジファンド、資産管理ファンド、プライベート・エクイティ・ファンドなどの出現による現象であった。

こうしたファンドは、所得不平等の社会で富豪となった（高収入の経営者たちも含む）個人からも、証券会社、銀行、保険会社からも資金を調達し、兆ドル単位の資本を駆使して、企業の売買、改変を仕事とした。あるいは公開買い付けオファーで、あるいは経営者買い付け（MBO：マネージメント・バイアウト）をする経営者と大量の金をプールして、上場会社の支配権を握る。その後、上場を廃止して、新しい経営陣を入れ、徹底的にリストラをして、順調に利益を上げるようになったところで、その会社を売りに出す。そういうことを専門にするファンドもあれば、株価が低迷する会社の株を大量に買って、無視できない大株主となり、経営者に圧力をかけて利益・配当を上げるのに成功した後、株価上昇の機会を利用して、株を売って利益を得るファンドもあった。

このような新しい形の企業買収行動は、伝統的な、事業会社の戦略的M＆A活動とは違う。つまり、技術取得、ブランド取得、規模の経済、ノウハウのシナジー、市場シェアの拡大などを目的とした企業買収ではない。単なる資金搾取を目的とする買収活動である。付加価値総体を上げる目的の買収ではなく、既存付加価値の再分配（富の少ないものから富の多いものへの再分配）を目的とするものである。

この新しい形の敵対的買収が多くなったため、株価の低下を経験して、安い「買い物」となった企業の経営者は、（特に売り飛ばせる資産を相当持っている企業の経営者は）競争相手に狙われるというより、無数に横行しているファンドの獲物とされる可能性が高まった。このシステムの進化を「市場規律の強化」と言う。おかげで、経営者にとって株主は「可愛くなった」。いわゆるＩＲ部門――投資家対策部門――に投下する経営資源がますます多くなった。おまけに、伝統的な、工場見学や総会でのご馳走など個人株主をもてなすことよりも、ウォール街での機関投資家・ファンドへの「プレゼンテーション」の方に重点が置かれるようになった。

そして、企業収益、自己資本利益率（return on equity：ROE）などを上げる努力が実り、結果として、平均収益が上がった。したがって、あらゆる企業にとって、期待されるべき収益水準も上がった。

思想的変化

その構造的変化と並行して、そしてまた、その結果として、思潮の変化も起こった。一九三二年にも、一九六七年の再版の時にも、バールが「優勢になろうとしている」と判断した「企業＝社会の公器」説はむしろ後退した。代わりに、彼が「信託としての企業」説と名づけた、株主の利益を最優先させるべきだという立場の議論がますます支配的になった。前者は「ステークホルダー論」、後者は「株主価値論」として、長く論が戦わされたが[*34]、二〇世紀末には、アングロ・サクソン社会では、どちらが勝ちか、疑いの余地がなくなった。学者の間では理論対理論の対決だったが、実際は世界観の衝突、利益集団の衝突、政治的な衝突であった。

おそらく、決定的だったのは、経済学会――より正確に言えば、英国経済学会――における動きであった。人間の利己主義的動機を前面に出すことを基本的方法論とする経済学者の責任が大きい。学術雑誌で大いにはやったのは、いわゆるプリンシパル＝エージェント理論（委託者・代理人論）だった。要は、様々な営業状況を想定し、あらゆる場合に、経営者に自己利益と株主利益とを一体視させるインセンティブ（条件付き報酬、ボーナス制度など）をどう設定するかというのが共通のテーマである。共通の手法は、最も先端的なゲーム理論を駆使することである。

学説の変遷は一般世論の変遷の鏡でもあり、メディア、政界、財界、産業界の思想的変遷にもフィードバックされた。決定的な「思想転換時点」を一九九〇年代に置くクラナは、日本の経済同友会に当たるビジネス円卓会議（Business Roundtable）というトップ経営者の団体が毎年出していた一般教書を引用する。一九九〇年と一九九七年との間のギャップは印象的である。一九九〇年にはこうだった。[*35]

法人企業の使命は、株主にも社会一般にも奉仕することである。株主の利害は主として、長期における投資への利回りに集中する。社会におけるその他のステークホルダーの利害は主として彼らの企業との関係において規定されている。

その他のステークホルダーとは、従業員、顧客、下請企業、債権者、地域社会および一般社会であって、それらに対する義務や責任は様々な法律、規則、契約および慣習によって規定されている。たとえば従業員に対しては、様々な労働保護法がある。しかしその法律を超えて、責任のある企業が、忠実な、そして働く意欲の強い従業員を確保するため、従業員に対して、および従業員同士の関係を構築するのは当然である。

ところが、一九九七年にはこうなった。

ステークホルダー・モデルの弱点は、各々のステークホルダーへの奉仕が必要とする費用の相互的トレード・オフを明示的に規定する目的関数に欠けていることである。したがって、そのような目的関数がないから、経営者のパフォーマンスを測る方法がなく、彼らのアカウンタビリティ（説明責任、相手の期待に応える責任）を確立させる方法もないのである。我々の意見では、経営者および取締役会の最高の義務は、企業の株主に対するそれである。他のステークホルダーの利害は、株主に対する義務に比して派生的なものにすぎない。

このように、ステークホルダー思想に取って代わり、「株主価値」思想がアメリカ社会で支配的になったことは、正にクラナが言う「経営者資本主義から投資家資本主義への移行」を意味する。それは、経営者の社会的イメージの大きな変化をも意味する。社会に有用な財やサービスを提供するよう企業のビジョンを設定し、ステークホルダー間の利害調整に責任を持つリーダーをどう養成するかは、もはやビジネス・スクールなどの主要課題ではなくなった。むしろ、どのようなストック・オプションが経営者に効果的なインセンティブを与えるか、などが主要な関心事となった。二〇〇八年の危機後、対策として盛んに叫ばれるのは、ストック・オプションなど、経営者のインセンティブ構成の見直しである。

投資家による統制が強化される過程は、一九九〇年代における「株主価値論」の勝利では終わっていない。同じ円卓会議は、定期的に経営者へのアンケート調査を行っている。質問の一つはこうだ。

「御社の取締役会では、社長以下の取締役が出席しない、社外重役だけの会合をフォーマルに催すことがあるか」（つまり、監督・統制する株主代表と監督・統制される経営者との利害対立を制度化するような会合）。

二〇〇三年には、「ある」と答えたのは四五％だったが、二〇〇七年には、七一％に上がっていた。二〇一〇年、「企業統治原理」という、円卓会議のガイドラインでは、「そういう会合はどの会社にもあるべし」ということになっている。[*36]

1・4――証券文化の勃興

株持ち民主主義

昔から保守政党（特にアングロ・サクソン社会の保守政党）は、「株資本所有者の民主主義」（shareholding democracy）と称して、株所有が国民全員に普及することを理想としてきた。それは、反資本主義思想をなだめ抑えるための一つの方便であった。新しいのは、最近、イギリスの労働党をはじめ、中道左派政権でさえ、同じようなスローガンを使うようになったことである。それは、金融業者の政治勢力伸長の一つの証であり、彼らにとってはうれしい現象である。どんなに喜んだかは、ロンドン証券取引所の新理事長による、二〇〇七年の就任演説を読めば分かる。イギリスの財務大臣に対して「税負担が重すぎて、起業精神をそいでいる」などと、ロンドン・シティの人間ならお決まりの攻撃を尽くした後、こう続けた。

ブラウン首相が先月の演説で、わが国を「住宅持ち、株式持ち、資産持ちの民主主義国家」と規定したことに対して驚きを感ずる人はいなかったはずだ。それは実は彼が指導する労働党の中核的支持層に対するメッセージだった。株式市場が健全であるということは国民一人一人にとって共通の利益である。正にそれこそが真実なのである。伝統的な現場労働者であろうが、公共部門の従業員であろうが、中間管理職であろうが、取締役や高級官僚であろうが、国民全員にとって、我々の株持ち民主主義というのは、国民統合の一つの重要な特徴なのである。[*37]

しかも、と続けて言った。株式市場の時価総額が、GNPの一五九%に上るイギリスは、同じ数字が一五〇%である米国とともに、株式総額がGNPの五〇%にすぎず、遅れたドイツに対して、いいモデルとなるだろう、と。

株式保有の積極的推進が政策として本格的に始まったのは、一九八〇年代の英米におけるサッチャー、レーガン両政権時であった。もう、「反資本主義思想に対抗するため」という考えからではなかった。何しろ、一九九〇年には、資本主義対共産主義という戦いは資本主義の完全勝利に終わってしまうからである。その後、保守政治家にとって、資本主義体制の維持を正当化するための喫緊の課題は別なところに移った。オバマ政権の国家経済会議委員長になる前に、ローレンス・サマーズは、難しいがしかし必要なのは、グローバリズム、およびグローバリズムがもたらす格差の拡大に対して、選挙民に「仕方がない」と、諦観を持たせることであると、新聞に寄稿[*38]している。

ただ、各国政府が「証券文化」を推進してきた主たる意図はそこにあったわけではなく、グローバル経済における自国の競争力を強化することにあった。一九八〇—九〇年代、各国政府が、株式をはじめ、金融商品保有の普及を推進したのは、むしろ、株式市場でのIPO(新規上場に伴う株式の公開売り出し)や非上場のベンチャー企業への投資を通じて、一般市民の資本が普通株へと豊富に流入することへの期待があったからだった。そうして流入した資本がイノベーションにつながり、国際経済における競争力を増すと信じられていたのである。

政策手段

証券文化推進の方法として採用された政策は多岐にわたった。重要なものは以下の三点である。

①年金基金の資産運用に関する規制の緩和ないし廃止。国債のような、利回りは低いが安全である投資と、リスクを伴う株式などへの投資の割合を制定する規則は、九〇年代まで、大抵の国で、安全の確保が第一だったが、多くの国で次第に自由化されていった。日本では、昔から投資枠の配分には「五：三：三：二規制」という原則があった。安全性の高い資産が五割以上、株式は三割以下、外貨建て資産も三割以下、不動産等が二割以下ということになっていた。しかし、一九九七年に規制が撤廃され、同時に投資顧問会社が自由に年金基金の資産運用市場に参入できるようになった。

もう一つは、②確定給付型年金から確定拠出型年金への移行を促進するための税制上の優遇措置である。確定給付とは、在職年数などによって算出された給付を企業が保障する年金制度で、会社内の積立金が資金運用の仕方や金融市場の動きによって不足するリスクは会社が負担する。確定拠出型（むしろ非確定給付型といった方が適当だが）では、個人や会社の拠出金は、個人ベースの積立基金になり、後の給付は、個人がどのようにその基金を運用したかによる。景気のいい時に株価の上昇から来る運用益を個人がもらう代わりに、不況などで生じるリスクも年金生活者自身が引き受ける。個人の積立金の中で、株式に回される割合を多くするための税制上の措置が、特に英米で目立っている。二〇〇八年の不況で年金が四〇%もカットされたアメリカ人がたくさんいた。

前述のように、こうした制度が、日本で「日本版401k」と称されるのは、アメリカでそうした年金の仕組みを優遇する措置が、税法の401k条であったからである。推進者たちは、「アメリカではこうだから」という論法が効果的だと思ったのである。とにかく、金融業者に結構なチャンスを与えた。各証券が、「401k（確定拠出年金）について、初心者でも安心して運用できるよう、初歩のことから効果的な運用法まで紹介します」とか、「社員のハッピー・リタイアと会社の経費削減の両立を支援する」とか宣伝し、「株式会社401k推進機構」など新しい会社が生まれた。

結果的には、導入を一所懸命に推進した人たちの思惑通りにはいかなかったようだ。安全第一の日本人は、401kの枠において、普通株投資のオプションには飛びつかなかった。

確定拠出型年金への移行は、「株式保有拡大」のほかに、新自由主義の他の政策目標にも適っていた。まず、企業のM&Aの場合、確定給付では、企業の将来の年金負担が大変予測しにくく、証券会社による企業評価作業が難しくなる。確定拠出なら、より簡単である。M&A市場の活性化が市場原理主義者の一つの政策目標である以上、年金改革は切に望まれることだった。

もう一つは確定拠出年金のポータビリティ（移動のしやすさ）である。転職しても、前の会社で積み立てた年金資産の大部分を新会社の401k年金に移せるとなると、転職は日常茶飯事となり、労働市場の流動性を高めることに貢献する。

さらには、③ベンチャー企業奨励のための税制措置である。特に非上場会社の配当や売買収益にかかる税負担の軽減などだ。日本では、経済産業省が「ベンチャー企業に個人投資家が投資を行った場合、投資時点と、売却時点のいずれの時点でも税制上の優遇措置を受けることができます」と宣伝する、いわゆる「エンジェル税制」が典型的な例である。「エンジェル」は、聖人の命が危ない時に現れて助けるキリスト教の天使だが、ベンチャー企業を起こす人を神様のようにちやほやする日本では、政治論争が起きるような制度ではないようである。

ところがイギリスの場合、最近、非上場企業の配当や売却収益に対する一律一〇%という低い課税率が、組合などから厳しく非難されている。特に大騒ぎになるのは、主としてその恩恵に浴してきたのが本物のベンチャー企業ではないことが明らかになった時である。むしろ、企業を買収して非上場にし、リストラをして（多くの場合、人員整理を徹底して）、収益がかなり出るようになったところでまた会社を売るとか、ＩＰＯで再上場するとかする、プライベート・エクイティ・ファンドがうまく立ち回っていたのであった。

日本の「立ち遅れ」

日本でも、証券文化の奨励が激しくなって、内閣総理大臣までもが、「貯蓄から投資へ」というスローガンを繰り返すようになったのは、ここ一〇年のことである。そして、インターネット取引で活発に証券や外貨の売買をするデイ・トレーダーが増えて、金融業者の手数料収入も増えた。二〇〇〇年まで、東京証券取引所で一年間に取引された株式の総計は、上場企業の発行株式数の半分を超えることはなかったのだが、二〇〇六―〇八年の三年間は、発行数の一・五倍となった。

間が悪かったのか、『経済白書』（二〇〇一年、経済企画庁が内閣府に併合されてから、『経済財政白書』[*39]となった）の企画者が、リスク投資を奨励する意味で、日本企業および日本人の「リスク・テーク」姿勢を分析したのは、リーマン・ショックのちょうど一か月前に出た二〇〇八年版でだった。題を「リスクに立ち向かう日本経済」とした。

「企業がリスクを取っている国ほど成長している」などの小見出しで、日本企業にリスク・テークの勇気の足りないことが、低成長の一つの原因であると説く。リスク・テーク行動の指標の一つが、ＲＯＡ（Return On Asset：総資産利益率）の年ごとのばらつきである。アメリカの企業の方がばらつきが大きくて、しかも平均的に高いという。もう一つは、「起業活動従事者の労働人口におけるシェア」である。後者についての結論はこうである。

起業が盛んであれば、経営資源が速やかに移動し、イノベーションが進みやすい。したがって起業が経済成長にプラスの影響を及ぼすであろうことは容易に推察される。日本はここでも「ローリスク、低成長」の位置にある。

なぜ日本人はだめなのか。なぜ貯蓄者から投資家に変身する意欲を見せないのか。リスク・テーク欲が少ないのはなぜか。『白書』はいの一番に、制度的原因を指摘する。まずは、分離税制。株式を買った値段より安く売った場合、その損失はその他の株の売買から得た所得から控除されるが（つまり、株で儲けた場合だけその控除が使える）、アメリカでは全部の所得額に対する控除となる。二〇〇九年には、自民党の長年の念願だった、分離課税が廃止され、総合課税制が導入された。金融危機をよそに、証券文化へのさらなる一歩が踏み出されたわけだ。

しかし『白書』は、日本人のリスク・テーク欲が鈍いことの説明として、そういう構造的な要因のほかに、国民が証券文化に十分馴染んでいないこと、「金融リテラシー」が足りないことがあろうとも言う。ここでもアメリカ輸入の知恵が内閣府の官僚の助けとなっている。アメリカでその前年に発表された、金融リテラシー調査の方法を借用して、「家計の生活と行動に関する調査」という郵送のアンケート調査が実施された。標本四〇〇〇人（回答率は驚くべきことに、八八％！）の結論として、こう言う。

以上の結果からは、家計がリスク資産に投資することで金融・情報リテラシーが高まったという側面も否定できないが、金融・IT教育や家計が普段から金融情報に触れるような施策を通じて家計の金融・情報リテラシーを高めることが、家計から企業へのリスクマネー投資を促すことにつながると考えられる。

その二〇〇八年、アメリカの銀行やヘッジファンドのとんでもないリスク・テークのために世界中が不況に陥り、日本も例外ではなかった。翌年の『白書』では、「危機の克服と持続的回復への展望」が取り上げられた。新聞は「企業内失業六〇七万人」などの見出しを書いた。

つまり、二〇〇八年版『白書』の意気揚々とした雰囲気が壊されたのである。二〇一一年の震災後はなおさらである。たとえそうでなくても、経産省が国民にリスク・テークしろとお説教することはないと思う。

証券文化と実質的成長の関係

この節の狙いは、経済の金融化を漸進させた要因、すなわち、「金融技術のバロック化」、「企業統治における株主革命」、「証券文化の普及」の、最後の「証券文化の普及」を分析するところにある。前二者が明らかに特定利益集団——金融業者・財産家——の利益追求の結果であるのと違って、第三は国民全員が恩恵を蒙るはずの経済成長の手段であって、それを推進してきた政府を非難するべきではない、と思う読者がいるかもしれない。

そうした疑問に答えるために、「①イノベーションと経済成長」、「②イノベーションが活発になる条件」、「③国際競争の諸次元」の三点を検討しよう。

イノベーション、創造的発想を持つこと、失敗のリスクを冒しても発想を実現しようとすることは、私の価値観からすると——また多くの人の「常識的価値観」にも合致するだろうと思うが——それ自体立派なことである（人に害をなすような兵器とか金融商品などでない限り）。そして、イノベーションは経済成長の重要な要素であると思う（シュンペーターの「創造的破壊」である場合もある）。

しかし、（a）イノベーションだけが成長の秘訣では決してない。既存の知識、特許、ノウハウを効果的に使って、パンや自転車のような前々からあった製品の生産で、国の生産能力を増やすことも成長につながる。（b）過去一二年間の日米における経済成長率の違いを見れば分かるように、成長の秘訣は、供給側のイノベーションだけにかかるものではない。需要面も大事である。リーマン・ショックまでのアメリカの高度成長を支えたのは、日本、中国、アラブ産油国からの（時にはGNPの六％を超えるほどの）膨大な借り入れを基礎に、豊富な資金、低利子率の時代を享受して借金を重ねていった、アメリカの家計の極めて旺盛な消費需要であった。日本が停滞したのは、主として、GNPの三—四％に当たる国際貿易収支の黒字を毎年出しておきながら、貯蓄、特に外貨の貯蓄に回して、消費需要が停滞したためである。アメリカ人が自国の生産量より五―六％多く消費して、日本人が自国の生産量より三―四％少なく消費していた。それが、新技術を生み出す創造性よりも大きな、両国の違いであった。イノベーションの指標として、両国が米国で取った特許の数を比べてみると、日米は同じくらいである。人口一人当たりの特許取得数なら、日本の方が高い。この点は、第2部でもう一度言及する

イノベーションの推進と株式資本

②の「イノベーションが活発になる条件」についてではこうある。

（a）イノベーションが活発になる条件として、日本の構造改革論者がうっとりしたシリコン・バレーというモデルは、たしかに魅力的である。新発明を用いて自立しようとするアントレプレナー（起業家）が大勢いて、そこにリスク・テーク志向のベンチャー・キャピタル・ファンドからリスク・マネーが豊富に供給されていれば、繁栄への道が開けるだろう。しかし、シリコン・バレー・モデルは、唯一のモデルではない。日本のイノベーションを支えたのは、人材面では、大企業の研究開発部門の優秀な従業員、リスク・マネーの方は、企業の内部投資であり、このモデルは今でも有効である。ドイツについても、同じことが言える。

（b）株式市場――日本では最近公的機関ではなくなり、株式会社、つまり単なる営利事業として位置づけられた株式市場――が、メディアなどにとって、日本経済の中核的な存在となったことはたしかである。日経平均、TOPIXなどがどう動いたかが、あたかも国民の最大の関心事であるかのように、少し大きな動きが起これば、メディアのトップ・ニュースになる。それが、人々の楽観、悲観のバランスを大きく左右して、投資行動や消費行動にかなりの影響を与えるのは確実である。

ところが、株式市場がイノベーションに必要な資金を供給するという神話は、全くの嘘である。「資本を最も利回りの高い使途に向かわせるのが、金融市場の優れた配分機能」などとする経済学者がいるが、よくも言えたものだと思う。過去の一〇年間、東証で取引された総株数の内、新規の資金調達となった株数がようやく一％を超えたのは、二〇〇〇年から二〇〇三年までで、二〇〇六年から二〇〇八年では、〇・三％にすぎなかった。つまり、東証は圧倒的に二次市場であって、一次市場としては大した機能を果たしていないのである。おまけに、その〇・三％の新規資金の内実も、公開による株売りではなく、第三者割り当ての額が大きい。第三者割り当ての場合、資金調達よりも企業同士の関係を強化する目的の方が大きいことが多い。

今も昔も、企業の設備投資、および研究開発などへの投資は、主として内部に留保した利益によって賄われている。日本の経済が最も高い成長率を遂げていた六〇年代、投資を支えたのは、主として銀行からの借り入れであった。事業自体が成功するかどうか確証はなく、リスクはもちろんあったが、それ以外の投機的市場リスクなどの要素もなく、銀行は、固定金利で貯蓄者、預金者の金を預かって、同じく固定金利で企業に貸したのだった。

国威発揚

最後に、「③国際競争の諸次元」である。自分が人によく思われたいというのは、少数の変人以外には人類共通の欲望である。自分が属する家族、地域共同体、国家共同体も、人によく思われてほしいというのも、人間普遍の本能である。外務省をはじめ、国家機関に負わされている一つの重要な機能は、自国が外国人に好感を持たれ、尊敬されている状態を確保して、そうであるという証拠を国民に見せることである。国家共同体に対する帰属感＝愛国心が強い人ほど、国家の「威信」に関心が強い。

一九四五年までの日本は、大正時代などに、欧米の他の帝国主義国家に協力的な態度を見せて、「いい子」をする時もあったのだが、一九三三年の国際連盟脱退以後は、優秀人種の神話に裏付けられた武力的進出が、国威発揚の唯一の効果的手段とされてきた。現在、その心理を継続しているのは、尖閣諸島などの領土問題に取り憑かれて、「中国の脅威」に応じる防衛力強化を要求する右翼だけである。一九四五年以後、圧倒的多くの日本人は、自国が経済再建、経済成長をうまく――否、見事に――やり遂げた国として、世界から称賛の声が聞こえるようになったことに満足した。また、そうした自信が優れた伝統文化とともに、日本人のプライド、日本に生まれてよかったという信念の重要な基礎とされた。

国家経済のパフォーマンスを国力の源泉とするのには、二つの捉え方がある。一つは、「新しい投資・増産の結果として、格差拡大があまりなく、生活水準が上がったか、教育・医療・福祉制度が強化されたか、総じて自国がより住みやすい国になったか」などのメルクマールで測る捉え方である。もう一つは、国民所得の成長率が他国と比べて大きいか小さいか、つまり、世界サッカー連盟のランキングと同様、国際成長率リーグにおいて、自国がどう位置づけられているかという捉え方である。

私に言わせれば、前者は君子の捉え方であって、後者は小人の捉え方である。

一九四〇、五〇年代には、日本では前者の捉え方の方が普通だった。日本の農地改革について、私が一九五八年に書いた本[*40]では、旧経済企画庁の経済計画を利用し、当時の学者の経済予測もいろいろ引用して、当時の農村の過剰人口問題について一章を当てたのだが、「成長率」という言葉は出てこない。国民経済計算自体は、一九三〇年代、コリン・クラークの『経済的進歩の諸条件』（「成長ではなく『進歩』」ということを言った本の発祥とされている）以降、国際的に通用する統一基準が、国連のエコノミストたちの手によって開発された。多くの国で採用されるようになったのは、一九五〇年代の初めであった。しかし本格的に国際成長率ランキングが日常茶飯事になって、各国政府がそれを真剣に気にするようになったのは、日本が一九六四年に入った経済協力開発機構（OECD）のためである。毎四半期、加盟している各国の成長率、および予想できる成長率を比べ、報告書を出すようになったのである。

一九八〇年代の終わりまで、すなわちバブルが崩壊するまで、日本は、そのリーグにおけるトップ・プレーヤーで、そのプライドは相当なものだった。それだけに、成長率が他の先進国より低い水準に落ちた「失われた一〇年」の時期は、喪失感も大きかった。

原因ではなく結果

一九八〇年代にアメリカの主要なビジネス・スクールに、「日本的経営」の講座が設けられたり、トヨタ生産方式や、QCサークルや、日本の経営術が方々で真似されたり、アングロ・サクソン型資本主義と対決できる「日本型資本主義」が言いはやされたのは、やはり日本には高い経済効率や経済成長率を維持する秘訣があると思われたからである。一九九〇年以降、成長率がガタ落ちし、そうとも限らないことが明らかになった。すると、米国ビジネス・スクールが興味をなくし、日本人自身も幻滅して、橋本内閣以来の政府が、労働市場も、金融市場も、製品市場も、サービス市場も、コーポレート・ガバナンスも、アングロ・サクソン型資本主義の諸制度をモデルとする「構造改革」に走ったのである。

ところが、成長率の最大化も、成長率リーグで高い地位を獲得することも、経済政策の唯一の目標であるはずはない。「日本型資本主義」が八〇年代に称賛されたのは、ビジネス・

スクールならば、経済効率の点が買われただけだったのかもしれない。しかし、日本でも外国でも、私も含めて多くの社会科学者が美点としたのは、所得分布がわりに平等であったこと、失業が少ないこと、経営者に私益の他に公益も考える習性があったこと、教育・医療制度がよく整備されていたこと、商的取引に、自己の利益と関係のない相手に対する「思いやり」が入ること、官僚が優秀で、腐敗が少ないことなどであった。それらは、E・ヴォーゲルが『ジャパン・アズ・ナンバーワン』で褒め称えた側面でもあった。それらがバブル崩壊とともに、重要視されない特質となってしまった。二〇年間のアングロ・サクソン化改革の結果、格差が拡大し、相対的貧困率はOECD加盟国中二番目、ひびが入った社会となった。

そもそも、日本ばかりでなく、他の先進国も、「国際経済における競争力強化」を経済政策の第一目標としたのが間違っていた。「よき社会の確保」という目標の方が、より重要なのである。

金融危機に際して最近よく読まれ、よく引用されてきたのは、経済学者の少数派で、これまであまり知られていなかったハイマン・ミンスキーである。力作『不安定な経済の安定化策』[*41]にこう書いてある。まず、現代政治家の課題は「経済効率、社会的公正および個人の自由を同時に達成することである」と、ケインズの一九二六年の論文を引用してから、こう続ける。

その三つの目標を達成するための諸制度は、現代の社会に対応するようあらためて検討する必要がある。過去五〇年の我々の生産能力の増大は、驚くほど大きい。したがって、経済効率という目的について多少妥協してもよさそうである。我々は——少なくとも米国人の我々は——裕福である。社会的公正および個人の自由を確保するためには、総生産量が少し減っても構わないはずだ。

同感である。

以上、1・2節で金融技術、証券化技術の進歩、1・3節で経営者資本主義から投資家資本主義への移行、そしてこの1・4節で証券文化の推進、世の中の「金融化」を促進した主な要因を見てきた。次には金融化の原因ではなく、その結果を問う必要がある。政治経済に対して、社会に対して、個人生活に対して、金融化はどういう影響を与えてきたのか。2・1節でそれに答えよう。

第2部

2・1——社会を変える金融化

二〇〇八年の金融パニック——急病と持病

以上、長々と、アングロ・サクソン経済に対しては特に、そして、ある程度までは、ヨーロッパ各国と日本の経済に対しても、金融化をもたらし、金融業者の圧倒的な経済力および政治力を培ってきた、三つの要因を検討してきた。繰り返しになるが、その三つの要因とは、①企業がますます「投資家」の所有物となっていったこと（つまり、経営者資本主義から投資家資本主義への移行）、②各国政府が「証券文化」の普及に努力したこと、そして、③「直接金融」と称して、金融業者が高度な金融工学を駆使し、貯蓄者・投資家と、融資や保険を必要とする実体経済の立役者との間に「投機的な市場」を作り、大儲けに成功したこと、である。

この三つの内で、今回の金融危機をもたらしたのは、主として最後の金融業自体の「進化」である。金融業・不動産業の利益をどんどん増大させてきた、（貿易黒字国家の過度な貯蓄に起因する）世界中の資産価格の上昇傾向が、米国の住宅バブルの破裂をきっかけに逆転し始めた。ギャンブルのピラミッドにすぎなかった信用バブルが崩壊して、「資産」とされていた証券が反故同然になり、多くの金融業企業が破綻した。そして、その尻ぬぐいをせざるをえなかったのは我々納税者だった。信用・保険がなくなって、経済全体が機能不全に陥りかねなかった以上、それが当然な選択であったとはいえ。

実体経済への悪影響を緩和する対策、同じような危機が再び起こらないようにする金融業規制対策など、様々な規制のあり方については後に検討する。各国で毎日のように、政府も野党も経済学者も、いろいろな提案をしている。

ただ、危機脱出策は真摯に討論されていても、長期的金融化傾向を問題とする、それに関しての提案は少ない。金融化傾向自体はあまり問題視されていないのである。しかし私は、それこそが大いに問題視されるべきだと思う。以下、金融化の結果——私に言わせれば憂うべき結果——として、四つの社会的現象を検討したい。最初にリストアップしておこう。

①格差拡大
②不確実性・不安の増大
③知的能力資源の配分への影響
④信用と人間関係の歪み

所得や富の格差拡大

金融化は所得や富の格差拡大に拍車をかける。ジニ係数（所得分配の不平等さを測る指標）が上がっていくというのは、ほとんどの先進国の共通の現象だが、最も上昇が顕著なのは、金融化が一番進んでいるアングロ・サクソンの社会である。典型的なパターンとして、経済成長が順調であるにもかかわらず、中位以下の所得が停滞して、最高一〇%分位、そして特に最高一%分位がますます裕福になる。米国のデータがよく引用されるが、そこでは一番裕福な一%が個人資産の三八%を持っており、国民のわずか一〇%が公開市場で売買されている証券の八五%を所有している。

現在の富裕層は、二〇世紀前半、左翼論者の非難の的だったランチエ（rentier）——先祖の遺産を享受する有閑富裕階級——とは違う。彼らの富は、国民所得計算では、一応、「労働所得」と扱われる収入で稼いだものである。最近のイギリスの調査機関の分析によると[*42]、イギリスの納税者の最も裕福な〇・一%層の平均所得（年間約七五〇〇万円）の内、財産収入は二〇%だけで、八〇%は労働収入であった。財産収入の源泉も、稼いだ所得から貯蓄したお金であった可能性が高い。どういう職業かといえば、事業会社の経営者、弁護士、会計士もかなりいたのだが、銀行、証券会社などの経営者やボーナスの高い名トレーダーなど、金融業に携わっている人が圧倒的に多かった。

そして、この層の財産収入も小さなものではない。所得の二〇%とはいえ、それだけでイギリスの平均給料の四・五倍という額である。金融化の要因の一つだった、投資家資本主義の定着による証券資本の利回りの増大、資本シェアの拡大も加わって、彼らの富の増大に貢献した。

ドイツやフランスと違って、英国はアメリカと同じ英語圏内の国であり、金融業タレントの労働市場は英語圏全体の統一市場である。企業経営陣の上層に行けば行くほど、報酬の「世間相場」が大西洋を跨いで統一されている。おまけに、タレントの「引き抜き」が当然視されている社会でもある。たとえば、二〇〇六年のように、ゴールドマン・サックスというアメリカの証券会社がトップクラスの従業員五〇人に、最低二〇〇〇万ドル（当時のレートで一七億円くらい）のボーナスを払ったというニュース[*43]がロンドンに伝われば、それはシティのボーナスを押し上げる効果があったのである。

普通の人なら「べらぼうな」としか言えないこのような報酬構造は、もちろん金融業だけのものではない。『ニューヨーク・タイムズ』紙は、二〇〇八年度の社長報酬番付表を作っている。[*44] トップはモトローラ社長の一億四四〇万ドル（約一〇〇億円）で、最後の四五番目のシュルンバーガーの社長が一三〇〇万ドル（一三億円）となっている。もっとも、多くの場合、報酬の内、給料の占める割合はわずかで、ボーナス、ストック・オプションが大きい（モトローラの社長の場合一対九九）。そしてこれらは企業のパフォーマンスとの関係が薄く、モトローラの社長が記録的な報酬を手にした二〇〇八年度、同社の収益は前年より七一％減っていたのである。

四五社の社長の内で、金融関係が五社だけだったのは、二〇〇八年が多くの銀行・証券会社にとって、破綻の年、大損の年であったからだろう。二〇〇七年の番付表のトップだったゴールドマン・サックスのブランクファイン社長の場合、二〇〇八年の報酬は一一〇万ドル（一億三〇〇〇万円）だったそうだ。[*45] しかし、1・3節で、経営者資本主義から投資家資本主義への移行を論じた時に書いたように、金融業の経営者も他産業の事業会社も、同じ価値観、同じ文化を分かち合っているし、同じ労働市場で競争している。そして、ここ三〇年来その経営能力市場で、経営者給料の「世間相場」の持続的上昇をリードしてきたのが金融業であった。

米国の経済学者二人がその事実を組織的に追究した。金融業および他産業の給料水準の格差について、一九〇九年から二〇〇六年まで、細かい比較を行った。[*46] 一九三〇年の不況までは、格差が段々と開いていったのだが、その後、一九八〇年代まではどちらかというと、縮小した。しかし、その後また徐々に開いていった。著者たちは「賃金も市場原理に沿うべし」という前提に立つ正統派の経済学者である。ただ、仕事内容の複雑さ（量的に非常に測りにくい）、学歴、雇用安定性など、格差を生じやすい様々な要因を勘案しても、二〇〇六年には、そのような市場合理性要因によっては説明できない、単なる「レント（超過利潤）」による金融業雇用者のプレミアムが、仕事の「複雑さ」の影響を最高に評価しても三〇％に、それを最低に評価すれば五〇％に上るだろうと推測している。

しかも、それは給料だけの話であって、ボーナスやストック・オプションも入れれば、それをはるかに超えるだろう。もう一つ、ハーバード大学の三世代（一九七二年、一九八二年、一九九二年それぞれの卒業生）を対象にした調査がある。金融業に携わっている人たち（一九七二年卒の五％、一九九二年卒の一五％）の二〇〇五年の収入は、他の職業を選んだ人たちより、実に一九五％高かった。[*47]

少し横道に逸れるかもしれないが、現在の日本で、格差が与野党ともに認める突出した社会問題であるだけに、格差拡大における金融化の役割をここで一度見ておきたい。

格差拡大の要因

もちろん、所得格差の拡大は、金融化だけがもたらしたわけではない。貿易や海外生産、つまりグローバリゼーションによって、先進国の労働集約的生産に携わっている労働者が、賃金が安く貧しい途上国の労働者と直接競合するようになったことも、一つの重要な要因である。そして、「労働集約的産業」としてインドのソフトウェア産業なども考えれば、さらにその範囲が広がる。

そしてもう一つ、先進国内部の要因もある。すなわち、技術の進化・進歩がそれである。世界中で研究開発に投資される資源が増していくにしたがって、ますます加速するのが技術進歩である。技術進歩にプラス面が多いことは疑いがない。しかし同時に、高度な技術水準の国であればあるほど、国民の間での「技術取得能力の分布」も、所得分布を決定する要因として重要になってくる。つまり、技術進歩の恩恵がどう振り分けられるかという問題で、無視できない深刻な社会問題である。

農業社会では、ほとんどどんな農民でも既存の農業技術に関する知識、つまり土地を耕して一応の収穫を得るノウハウを吸収する能力を持っていた。もちろん潜在的能力差はあった。山梨県の方言で言うと、「与太な」農民もいれば、頭がよくて、気の利いた「老農」もいた。新しい作物の実験をしたり、新しい栽培方法を発明したりして、社会に多少とも蓄積される「技術」に貢献するような頭のいい農民たちもいたに違いない。しかし、その老農たちがそれで、平均よりずば抜けて多くの収穫や収入を得るようになったかと言えば、そうではない。豪農になる道は、むしろ財産を背景にした高利貸しにあり、まだ富裕層（ランチエ）の時代であったのである。

しかし、技術の進歩にしたがって、能力差、特に知識・技術を取得する能力の差は、ますます人の労働市場における「価値」を決定するようになる。「よくできる子」で、二三歳に原子力工学士の資格が取れる人と、学校の成績がよくなく、評判の悪い高校を出て、誰でもできる簡単な仕事にしかつけない人との間には、稼ぐ可能性に関しては大きな違いがある。人間としての価値が同じで、市民としての権利、個人としての尊厳が同じでも。人口における先天的な学習能力の分布はそう変わらないので、優れた頭の持ち主の割合がそう急に増えるわけではない。そこへ、技術の複雑化で、原子力工学のような高度な技術を要求する仕事ばかりが増えて、誰でもできるような仕事はますます機械化され、電子ブレーンに任されたりするところでは、需給関係で——難しい仕事ができる人の稀少性と簡単な仕事しかできない人の非稀少性によって——完全に市場原理に委ねられた労働市場なら——労働収入の格差はどうしても開くばかりである。

「完全に市場原理に委ねられた労働市場なら」という条件がポイントである。アダム・スミスの力作を受けて、一九世紀中期、労働市場の見事な分析を試みたジョン・スチュアート・ミル[*48]は、職業間の賃金・給料差は、主に需給関係・競争によって決まるのだが、「慣習」の力も無視できないと、具体例を挙げて指摘している。現在の労働経済学者がほとんど忘れてしまった指摘である。

日本で一九七五年から一九九九年まで、大企業の一般従業員の給料・賞与と役員の給料・賞与を一対二・五という安定した比率に保ったのも慣習の力[*49]——企業は一種の準共同体と受け止められており、そうしたイデオロギーによって補強された慣習の力——であった。また、銀行の管理職が同じ学歴・年齢のメーカーの管理職の給料の一三〇%くらいを取っていたというのも、慣習の力であった。それは、終身雇用という特殊な、もう一つの慣習に支えられていた。最近、成果主義が、宣教師的熱心さで普及されたにもかかわらず、まだ多くの企業の給料体系には、年功序列的要素がかなり残っている。それも、やはり「慣習」——何が「公平」であるかについての一般的社会通念——の力を示している。

その「何が公平であるか」という社会通念が、多くの国で法的な形を取って、最低賃金法を生んでいる。最高賃金法はまだどこにもないのだが、その代わり、三〇年前まで、所得税の高額納税者に対する急激な累進性に、同じ国民の間に甚だしい貧富の差があってはいけないという「社会通念」が表明されていた。ところが、「証券文化」を生んだ国家間競争論や、労働インセンティブ論、国家悪玉論、小政府論などの混合物である新自由主義の勃興の一つの結果として、その累進性がどんどん緩和された。最近、ゴールドマンなど金融業のボーナスやその他の社長の給料水準に対するメディアの憤慨もあって、その傾向が逆戻りするかもしれないという兆しもあるが、それについては、後ほど、危機対策のところで検討しよう。

不確実性・不安の増大

拡大するのは所得のばらつきばかりでなく、生活の安定度でもばらつきが拡大する。「宵越しの銭を持たぬ」職人の社会は朗らかな社会だったかもしれない。ローン付きであっても、自分の家、自分の車、新型の電気製品を持つ正規労働者が多数である社会にあっては、基礎的な生計にさえ不安を抱えるフリーターの存在は大きな「社会問題」となる。国民年金を払うべき人で、掛け金未納者は実に三八％に上ったと伝えられているが[*50]、その人たちの老後の不安は想像に難くない。しかし、そういう人たちばかりではない。「金融化」のおかげで、国民の大多数の安定した中流の生活も、不安に満ちたものに変わる。

それは主として、投資家による利益最大化圧力によって、労働者福祉のための企業の様々な「無駄」な支出が抑えられるからである。米国の過去三〇年間の変化を分析したS・ジャコビーはこう要約する。

収益の増大を求める投資家の圧力が増すにしたがって、リスクは従業員にかかってくるようになる。賃金も雇用も、一九八〇年以降、変動係数が大きくなった——つまり安定性を失ってきた。年金制度は確定給付制から確定拠出制に変わり、雇い主による医療保険掛け金の支払いが段々と少なくなる。しかし目立つのは、この賃金などの変動係数の拡大が、上場企業のみの現象であることである。企業規模が同じでも、非上場企業の変動係数はどちらかと言えば下がっている。[*51]

つまり、不安定さを増す雇用・賃金の変動は、市場からの圧力に起因する可能性が大きい。「選択肢の拡大＝個人の自由の拡大」は、「生産者間、金融業者間での競争原理の徹底＝消費者への最大のサービス」とともに、新自由主義の主要なスローガンの一つである。しかし、強いられた選択肢の拡大は必ずしもありがたいわけではない。情報の非対称性が甚だしい状況において、銀行・証券会社や「独立金融アドバイザー」が提供してくれるのは、わけの分からない「選択肢」である。401k年金に国債、社債、普通株の比重をどうするか、どういう株を買うか、どれだけ保険をかけるか、リスクとリターンのバランスはどうするか、などなど。ギャンブルが好きな人にとっては、競馬より面白いかもしれないが、普通の人はどう選ぶか迷ってしまうだろう。ましてや、かけているのは、競馬に使う二、三〇〇〇円ではなくて、老後の生活なのである。つまり、多くの人にとっては、ありがた迷惑の選択肢拡大なのだ。大変な時間を使って、何ページにもわたる契約書の細い文字を丹念に読み、情報の非対称性をできるだけ縮小する、あるいは、アトランダムに選んで、騙されたのではないかと後で心配する。それが、不確実性に満ちた世の中の実態である。

昔だったら、企業年金制度は会社に一つしかなくて、誰にでも等しい保障があった。銀行の定期預金も大体どこでも同じようなもので、どこを選ぶか迷って何時間も費やす必要はなかった。レジャーを楽しむ時間はそれほど多くなかったが、雑誌が、「すばらしい新金融商品」の広告で埋め尽くされてはいなかったから、「ああ、しくじった。これにすればよかった」と、後でくよくよする必要もなかった。

こうした、もう少し安定した世界——投資家にならず、単なる貯蓄者に留まることが当たり前。貯蓄者から投資家になるのが国民の義務とはされず、この義務を怠っても非国民扱いをされなかった世界——への未練を感じるのは、私一人だけだろうか。

知的能力資源の配分

金融化の第三の結果は、簡単に言えば、各世代の最も優秀な人材が金融業に吸収されすぎることである。その一つの兆しは、米国のビジネス・スクールの変身である。ビジネス教育の歴史を書いたクラナが指摘するように、元々、企業財務、戦略企画、販売、人事、労使関係論などにわたる一般経営術について広い教育を与えることを目的に設立された、ハーバード大やMITのエリート・ビジネス・スクールは、「職業的投資家、金融工学専門家を養成し、卒業生を、主として証券会社、プライベート・エクイティ・ファンド、ヘッジファンドなどに送り込む機関となった」[*52]。

それだけならまだしも、変わったのはビジネス・スクールだけではない。アメリカの大学の工学部、物理学部の卒業生の最も優秀な人たちが、しばしばヘッジファンドや証券会社にスカウトされてしまう。大学で取得した数学的技術が買われるばかりでなく、それほどの技術を取得できた一般的な頭のよさが買われているのである。化学工学者にとって、化学工場の研究開発部に入るより、証券会社で化学工業専門のアナリストになった方がずっとペイがいいわけだし、保険会社が国民所得の一割ほどを扱っているアメリカでは、優秀な医学博士は、患者の病気を診るより、保険会社で、支払い基準の設定の仕事に入った方が得なのである。こうして、昔だったらメーカーなどへのサービスを使命としていた金融業が、メーカーへのコントロールを強化するため、メーカーから最も優れたタレントを奪うようになったのである。

この現象は、アメリカやイギリスのようなアングロ・サクソン資本主義の国ばかりではなく、日本でもバブル時から話題にされた。バブル当時、メディアは病的現象として扱っている場合が多かったが、今や当たり前のこと、日常茶飯事となった。二〇一〇年八月、『日本経済新聞』にこういう見出しが現れた。

野村、「外資流」報酬で新卒40人採用へ　競争率16倍
専門職で実績連動　11年春、初任給54万円

記事には、こうした「グローバル型」の人事報酬体系での採用は、「トレーディングや投資銀行、調査、IT（情報技術）など、高い専門性や語学力が求められる職種で実施」されたとある。さらに、「初任給は月額五四万二〇〇〇円（残業代を含む）と、通常の採用（月額二〇万円）の二倍を超える水準。ただ家賃補助などの福利厚生がないため、一概には比較できない」ともある。

そして、背景が説明される。「野村は〇八年秋のリーマン・ブラザーズの部門買収をきっかけに、〇九年からグローバル型社員制度を導入した。外資流の人事報酬体系で、個人の業務成績に報酬が連動する他、基本的に部門を越えた異動がない専門職、法人取引部門を中心に現時点まで約二〇〇〇人が移行しており、同制度を選択可能な社員全体の約六割を占めている」。

生産法人の技術発展に貢献できそうな人、二〇〇〇人が、法人の所有権の売買に携わっていることを喜ぶ人は、自然を破壊する技術の進歩を極度に憂う環境ファン以外にはいないだろう。もったいないと思う人の方が圧倒的に多いはずである。特に「士農工商」と、「農工」を「商」より名誉ある職業としてきた「生産主義的」モノ作りの伝統を持ち、技術立国を目

指してきた日本のような国だったらなおさらだろう。

また、公共部門での問題も深刻になる。大統領が代わる度に、トップ官僚が三〇〇〇人も入れ替わる、完全に政治家天下のアメリカと違って、一応「三権分立」の原理を守り、独立した、そしてかなり尊敬されている官僚制度を持っている、日本およびイギリスやフランスのような国では、金融化による「金融業への頭脳流出」が特に問題となるのだ。選挙戦で官僚バッシングを武器とする民主党は別だが、東大法学部の最も優秀な卒業生が、財務省ではなく、ゴールドマン・サックスを目指すようになってきたことを喜ぶ人はあまりいないだろう。

メディアへの影響

官僚はともかく、この「人材の方向づけ」効果は、メディアへの影響がさらに大きい。毎日新聞社が出している『エコノミスト』という雑誌の一九八八年および二〇〇八年の寄稿者を比べてみた。両年の一月から八月まで、毎月の第一週号、各々八冊の標本を取って、著者の肩書きを見たのである。全寄稿者数（対談やインタビューも含めて）は、一九八八年は一六〇名、二〇〇八年は三〇八名だった（ページ数も増えている）。

肩書き　　　　一九八八年　　　二〇〇八年

大学の教師、公共研究機関の職員*	二八%	一三%
日本人ジャーナリスト・フリーライター	四一%	二五%**
金融機関アナリストなどの職員	一一%***	三四%***
外国人寄稿者	九%	一%

*たとえば、国際開発センター、貿易研修センター、日本経済研究センター、静岡経済研究所など。**外国人寄稿者の割合と反比例して、二〇〇九年に外国在住者の比重がジャーナリストの半分に増えている。***XY銀行調査部長五%、自営金融業者六%。***「エコノミスト」、「アナリスト」、「ストラテジスト」というカタカナの肩書きの者、二三%、その他が一一%。

「金融化」の影響がまざまざと表れている。『エコノミスト』という雑誌が意図的に転向したわけではなく、ビジネス・メディア一般の傾向に従っただけだろう。ここには、二つの別の傾向が働いている。

一つは、「貯蓄者」が皆「投資家」になれと鞭打たれている現状で、株の動向など、金融関係のニュースを読みたい人が多くなったこと、昔多かった、製造業の研究開発、労使関係、インフレ動向、新生産方式など、経済の一般ニュースより、金融関係の報道・意見の方が読者の要望に応えるものとなったのである。

もう一つは、「面白い記事」を書いてもらいたいなら、大学の経済学部より、メリル・リンチのアナリスト室を訪ねた方がいいということになったらしいことである。昔の経済学部の一番優秀な学生は、学部のゼミの先生に可愛がられ、修士・博士課程に誘われて、喜んで学問の（名誉ある）道を、一応の生活水準が保てるものとして選んだのである。今は、修士コースに入ったとしても、すぐアメリカのどこかの大学に留学して、経済学博士として帰国すれば、外資系証券会社のアナリストなどのポストに、大学の指導教授の何倍もの給料でありつける。金融化が進んだ社会では、学者の市場価値も、威信も、原稿書きによる小遣い稼ぎの機会も、減ってくるのである。

『エコノミスト』は、『日経ビジネス』や『東洋経済』などに比べると、今でも少し「左より」の編集方針だが、金融化・金融業覇権に抗するという姿勢は全くというほど見出せない。もちろん、銀行・証券会社のシニア・エコノミストたちの中にも、自分が住んでいる経済社会に対して批判的な目を向け、公共精神を発揮して、異端者の役を演じる人はいる。寺島実郎はその代表的な一人である。しかしそれは稀なことであって、大半は体制派で、日本経済の危機的状態を憂えながら、経済制度自体に対しては、「もっと小泉流の構造改革を徹底した方がいい」くらいの意見しかない。

ビジネス週刊誌の読者の、つまり一般の経営者層の、世界観、政治的・経済的価値観を形成するメディアがそういうものになってしまったのである。俗流マルクシズムの「上部構造はつねに下部構造における生産体制の社会関係、権力関係を正当化する役割を果たす」という一般論の、「つねに」は間違いかもしれないが、現在の日本のメディア状況に関する限り、正しいだろう。

信用と人間関係の歪み

市場を使う「直接金融」、銀行による「間接金融」、という区別のおかしさはすでに指摘した。そういう用語が好きな人たちは(もちろん「市場金融」を是とする人たちだが)、後者から前者への移行を「金融の非間接化(disintermediation)」と言う。しかし、非間接化は同時に非人間化、取引無名化の過程でもある。もちろん、今に始まったことではない。何世紀も前、銀行からの借金に代え、売買可能な社債の発行によってそれは始まった。しかし、最近住宅ローン、借家契約、自動車融資などの証券化で、この「非間接化」過程は加速度的に拡大している。昔は、たとえ銀行の支店長と貸借先の企業の経営者や住宅ローンの債務者との間に個人的な関係がなくても、互いに相手の存在を認め、契約が守られた。そこには、担保を失いたくないとか、訴訟を起こされる恐れなどの計算的な考慮のほかに、一種の道徳的義務感も働いていた。一種の信用関係だった。債権者が、たまたま証券を買った無名の誰かになったら、そういう信用関係はなくなる。そういう、人と人との絆の壊滅が、社会における「信頼の侵食」を加速するのだ。

「信頼の侵食」(the erosion of trust)という言い方は、説明を要するだろう。日本語の「信用」というのは、英語で、金銭的な意味の「credit」に当たり、「信頼」という意味の「trust」にも当たる。「信頼」も、日本語では普通「誰それを信頼する」という動詞的な使い方が多く、また「信認」も、むしろ「承認する」という意味で使うことが多い。「信頼」も「信認」も、抽象名詞として——たとえば「権力」とか、「福祉」などのような抽象名詞として——人類社会の一要素という意味ではあまり使われない。しかし英語圏の社会科学者の間では、「信頼の侵食」という言い方がなされ、それが具体的な社会現象としてよく論じられている。

「信頼（信認）の侵食」が意味するのは、「四海同胞」から、「人を見れば泥棒と思え」への変化である。それは、社会における「世界観」、「人間観」の変化である。もちろん、会う人がほとんど知り合いである村落共同体在住者の農業社会から、周囲が他人ばかりの大都会に住んでいる都市化された社会への移行としても説明できるが、同じく都会化された社会の間でも、「信頼・信認」の度合いが違う。道をはらはらしないでは歩けない社会もあれば、家を留守にし、鍵を忘れても大して心配しないですむ社会もある。

この「信頼の侵食」が進むと、とりわけ金融取引においては、「情報の非対称性」を利用して、もちろん違法でない限りでだが、債務者の無知をいいことに搾取することが当たり前となる。そこからさらに進んで、完全な詐欺にまで発展する可能性も高くなる。バーナード・マドッフ（ねずみ講〔無限連鎖講〕で人々から五〇〇億ドルも巻き上げたと言われている）

について、クルーグマンが、『ニューヨーク・タイムズ』紙にこう書いた。

マドッフ事件とウォール街の毎日の仕事とは、どう違うだろうか。ウォール街の金融業者が、投資家がさっぱり気づかず、理解もできない、ひどい損失のリスクに彼らをさらしながら、莫大な手数料を巻き上げる代わりに、マドッフは、より簡単に、ただ、お客の金を盗んでしまっただけなのである。[*53]

詐欺を防ぐ法的制裁

マドッフ自身は懲役一五〇年という判決を受けた。金融業界へ厳峻なメッセージを送るつもりだと裁判官は言った。たしかに、不正をすれば厳しく罰せられるぞ、というメッセージは必要だ。

不正は不正でも、私腹を肥やすための意図的な詐欺と、自分が長年働いた組織を救うため、法律違反の責任を、いわば犠牲的に請け負う場合とは区別する必要がある。日本では、九〇年代後半の金融危機で倒産した銀行の役員が多く告発されたのだが、大きな損をした株主の憤りをなだめるための「贖罪の山羊」探しという要素もかなりあった。日本長期信用銀行の頭取だった大野木克信氏はその例である。倒産寸前だった長銀を景気好転まで生きながらえさせようと粉飾決算をして、不法な配当まで行った。一〇年間の法廷闘争の末、無罪となったが、彼自身がその配当で儲けたのは微々たる額で、退職金も年金も失ったのである。

ところが、スケールとしてマドッフに及ばないにしても、明らかに何百万ドルのボーナス目当てに、不法な行動を取った人が多かったわりには、金融危機になってからのアメリカでの訴訟や告発は少ない。九〇年代初めのS&L崩壊スキャンダルの頃、一九九〇年から一九九五年まで、アメリカで告発された銀行経営者は実に一八五二人に上った。内一〇八二人が牢屋に入れられた。[*54]

さらにさかのぼって、一九二九年のウォール街の大暴落の時、「犯人捜し」が何年間も続いた。最初は、不況は天災のようなものと思われて、少数の明らかな詐欺事件しか追及されなかったのだが、一九三二年初頭、フーバー大統領は、自分の不況対策が功を奏さなかったのは、ブローカー間の密約による大量の空売りのせいではないかと疑って、上院の金融・通貨委員会に調査会を設立したのである。調査範囲がかなり狭く限定され、最初はあまり結果が出なかったが、委員会が最終報告を出す期限が近づいた時に、イタリア系の辣腕弁護士が調査主事となった。名前は「ペーコラ（Pecora）」で、イタリア語で「羊」の意味だが、彼は羊どころか、むしろ狼のような人物だった。

勝手に調査範囲を広げて、当時最も権威ある銀行であったシティ銀行の内部取引をしつこく、そして鋭く調査した。すると、いろいろ怪しい金融商品を客に押し付けていたケースや、見せかけの取引、役員への無利子の貸借や、「ホリエモン」式の自社株の株価操作などが発見されて、大きなスキャンダルとなった。今のグリーンスパンのように、当時「金融の神様」と崇められていた、シティ銀行頭取のミッチェルは退任に追い込まれた。それが反金融の世論を大いに刺激して、グラス＝スティーガル法（一八一頁参照）が制定される世論を作った。[*55] 結果として、一九九九年まで、つまり、クリントンがウォール街の圧力に屈するまで、商業銀行と投資銀行は強制的に別居させられていたのである。クリントン政権時の法改正は、金融化を大いに加速させ、今度の危機をもたらすことに大いに貢献した政治的誤りだった。

ところが、一九九〇年代に比べて、今度の危機では裁判が極端に少ない。一番大きな理由は、新技術導入の結果、金融商品契約の複雑極まる内容から詐欺の要素を引き出すには大変な専門知識が必要で、そうした知識を十分備えている弁護士が少なく、検事も少ないからである。また、裁判になったとしても、難しい内容を処理する能力を備えている裁判官も少ないのが現状だ。

また、今度は、S&Lの場合のように、犯人が田舎のチンピラ銀行屋ではなくて、ウォール街の大物だった。1・2節で述べたゴールドマン・サックス罰金事件がそうだった。ゴールドマンは、SEC（アメリカ証券取引委員会）と交渉して、歴史上最大ではあっても、実際は同社の三日分の利益にしか当たらない罰金ですまされた。

もう一つの理由は、一九九〇年代に比べて規制が非常にゆるいこと、そしてそのわずかの規制を回避する技術も発達していることである。日本でもコンプライアンスという言葉がはやり言葉となったことが示すように、銀行などは、多少インチキでも法に触れない契約とするために、弁護士を大量に用意している。これでも法治国家と言えるだろうか。
金融業が法を超越する主権的存在となってしまうのも、金融化の帰結なのである。

2・2——金融化の普遍性、必然性？

アングロ・サクソン資本主義の終焉？

二〇〇八年の暮れから二〇〇九年の春にかけて、「百年に一度」という危機感が世界中で頂点に達した時、ヨーロッパには不安、恐怖よりも歓喜、楽観を表明する人がかなりいた。長年負け続けてきた憎いライバルが躓く様を目にした時の、「ざまを見ろ」という気分だった。ドイツ語なら、（英語にも導入された言葉だが）シャーデンフロイデ（人の恥を喜ぶ）のような歓喜だった。

ドイツなどでは、日本と同様に、過去の二〇年間、新自由主義的体制への圧力が相当なものだった。どちらかと言えば、日本よりも「グローバル・スタンダード」理論が強かった。一つの理由は、英語とドイツ語が言語的に近いため、英語が堪能な経営者も多く、さらに英米で働いた経験もあるなど、英米の労働市場に参加している人が日本よりも多いことにある。特に金融サービス業は、日独ともに、最もグローバル市場志向の強い産業であり、ドイツの銀行は、一九九七年以後、海外支店を閉鎖したり、海外活動を縮小したりした日本の銀行より、英米での活動に力を入れていた。最も収益の高い、M＆Aとか、ヘッジファンドなどの分野で、（ドイツ銀行が特に）アメリカの投資銀行と対等な競争をして、アメリカ的価値観導入の重要なパイプとなっていた。もう一つは、イギリス型の市場原理主義・競争絶対主義を信奉する欧州連合（EU）官僚や、ヨーロッパ内での市場統合の結果から来る思想的圧力もあった。

ドイツ企業では、日本と同様の「安定株主」防壁が崩れて、労使共同決定を基本とするドイツ型企業統治システムに理解を示さない外資系の敵対的買収者が現れたり、ファンドが中小企業を揺さぶり始めたりした。経済学者はもちろん、経営者層の中の有力な財界人の中からも、規制撤廃、国有企業の民営化など、日本で「小泉改革」と呼ばれた英米化改革を求める声がドイツでも聞かれるようになった。シュレーダー時代から社会民主党が与党であり、労働組合が必死に守る共同決定システムだけは、ほとんど無傷のまま残ったのだが、「活力ある企業家にとって足枷なので廃止すべきだ」とする政治勢力は無視できないものとなっていた。

そこへ、モデルとされてきたアメリカ・イギリスが、驚くべき大きな危機に陥ったのである。ドイツの財務大臣は、「アングロ・サクソン資本主義も米国の世界覇権もこれで終わり」ときっぱり宣言した。ドイツの有力雑誌は、二〇〇八年の暮れに、ドイツの両大政党は、それぞれ「政治的維新」を期待するようになった、と書いた。

アングロ・サクソン資本主義がモデルとされたのは、働けば裕福になれると約束するものに見えたからだ。しかし、そのモデルの傍若無人なところ、その無謀な残酷さこそが、今回の危機をもたらした。今まで、世界の目には、ぱっとしない、退屈な人間のように見えたドイツの政治家は、今はそのイメージを変える時である。アングロ・サクソンのターボ資本主義と違った、よりよいモデルが手元にあるからである。近年、「社会的市場経済システム」の整備は少しなおざりにされてきたとはいえ、依然として、思いやり、良心、妥協をこととするシステムである。[*56]

英米に欠けているのは、社会の連帯意識および国家官僚の合理性だという点を強調しがちだったフランスだが、就任するまでは、フランス伝来の嫌米傾向と決別しそうだったサルコジ大統領も、アングロ・サクソン資本主義と米国の超強国一国主義の終焉などと、同じ趣旨の演説をした。

ヨーロッパでも金融化

英米との対比において、よく「ソーシャル・ヨーロッパ」と言われる。「社会重視のヨーロッパ」と訳せるかと思う。普通それは、ヨーロッパ大陸を指すのだが、労働党政権下の二〇〇〇―〇九年、イギリスは、ますますアメリカと同様の借金文化、財政が金融業課税に依存する体制に変わっていったとはいえ、やはりアメリカに比べれば、社会、国家を重視する国柄であった。たとえばイギリスの場合、医療制度の九十何パーセントは国営で、アメリカで金融業の一つの拠点となっている保険会社（必死になってオバマの健康システム改革と戦い、それを骨抜きにした）の存在感は薄い。

ヨーロッパ大陸のフランス、ドイツ、イタリア、スペインなどEUの主要国となると、金融業支配体制は比較的未発達である。労働組合は、国家政治的にも、企業内的にも、ひと頃に比べると力が衰えたとはいえ、いまだにアメリカよりも、あるいは日本よりも、その影響力は無視できないくらい大きい。株主絶対主権への動きには、ある程度まで歯止めをかけている。「証券文化」も英米に比べて未熟で、家計の金融資産の中では、証券の割合が低く、リスクの少ない確定利子資産の割合が大きい。公的年金制度がより完備していて、私的な年金基金のGDP比が低い。ロンドン証券取引所の理事長が、ドイツの株式市場を野次っていたように、株式市場の時価総額のGDP比が英米より低くて、英米のように、株式市場が経済の中心をなしてはいない。

それでも、ヨーロッパのどこの国でも、英米のモデルへの収斂の傾向がはっきりと見える。一つの指標は、家計の金融資産の構成である。元々、現金、銀行預金、生命保険が大半をなしていたが、OECDの調査による以下の数値[*57]が示すように、二五年の間、普通株および国債、社債など株以外の証券の割合が、着々と増えてきている。まだアメリカの水準からは程遠いにしても。

あまり増えていないのは日本である。ただ、調査したことはないのだが、メディアにおける株関係のニュースはここ二〇年で飛躍的に多くなったように思う。それを考えると、資産の割合がほとんど変わらないのは不思議である。

やはり、日本ではまだ「株屋」が怪しまれているのだろう。麻生首相の「失言」の一つは、それをざっくばらんに認めたことだった。二〇〇九年の春、首相を会長に、経済危機克服のための「有識者会議」が催された。その席で、松井証券社長の松井道夫の、「日本だけが先進国の中で外国人がメーンプレーヤーになっている。株式が悪だという雰囲気を払拭する対応を具体的に出さないと直っていかない」との発言に対して、麻生首相はこうコメントした。

「全く賛成だけど、やっぱり株式会社、株屋ってのは信用されてないんですよ。僕はそうだと思うなあ。やっぱり株をやってるっていったら、田舎じゃ何となく怪しいよ。〝あの人は貯蓄してる、でもあの人、株やってんだってさ〟っていったら、何となく今でも、まゆにつばつけて見られるところがあるでしょうが。オレたちの田舎では間違いなくそうよ」[*58]。

「株屋」という言葉遣いに、立派な証券会社がカンカンになった。

◎家計の金融資産において証券の占める割合（一九八〇年、二〇〇五年、単位は％）

国名	資産の種類	一九八〇年	二〇〇五年
イタリア	普通株	二四・三	三四・九
	その他の証券	一四・五	二〇・一

スペイン	普通株	一六・一	四一・一
	その他の証券	二・五	二・七
オーストリア	普通株	〇・〇	七・八
	その他の証券	八・五	七・九
フランス	普通株	一八・三	二八・〇
	その他の証券	七・七	一・四
ドイツ	普通株	四・七	二三・七
	その他の証券	一一・六	九・七
アメリカ	普通株	五〇・三	四六・六
	その他の証券	六・四	六・七
日本	普通株	一四・〇	一五・〇
	その他の証券	九・二	四・〇

ヨーロッパの話に戻ると、家計の資産の中で、預金などよりリスクがはるかに高い金融資産の割合が増えると同時に、その資産の管理が専門的な金融業者（相互ファンド、保険会社、投資信託）に委ねられる割合も増える。ドイツ、フランス、イタリアでは、同じ期間に一〇ポイントほど上がっているそうである。[*59]

必然的な進化？

金融化という現象は、社会進化の一環であり、人類進歩の結晶であって、歓迎すべきことだという主張もある。歴史家ニーアル・ファーガソンは、近著『マネーの進化史』をこういう言葉で締めくくっている。

我々の金融システムが遠い昔のメソポタミアの金貸しを基点として、いかに進歩してきたかを、以上の叙述で明らかにしようとして来た。逆行の時代、縮小の時代、消滅の時代はたしかにあった。ところが、進歩が永遠に止まる時代はなかった。金融の歴史曲線は確かにでこぼこの多い曲線ではあるが、その方向性は間違いなく右肩上がりである。ドイツの大統領が、最近、「金融システムは馴らしておかなければならないモンスターだ」といったのは、全く間違っている。むしろ金融市場の本質は、人類の鏡として機能し、我々が働く毎日、我々自身をどう評価するか、そして我々が住む世界の資源をどう評価するか、を反映するところにある。[*60]

長い歴史的な進化の産物であるというのは事実だろうが、だからと言って、システムの現状を是とする論法としてはあまり説得力がない。自爆テロの技術や組織も、メソポタミア以来かなりの進化を見てきたのだが、それはテロの撲滅に努力しない方がいいという理由にはならない。ファーガソン自身も、現時点は、その「右肩上がりの曲線」における、「逆行の時代、縮小の時代、消滅の時代」の部類に入るだろうと認めている。

金融の偏重的膨張

もう少し実質的な進化論もあることはある。

世界の実体経済は成長している。したがって、実体経済の運営に欠かせない信用および保険の需要も成長していく。実体経済の成長率と同率で膨張するにしても、資本市場がどんな他の市場よりもグローバル化している以上、金融業に特化する特定の国において金融業の拡大が特に目立つものになるのはむしろ当たり前と言えよう（イギリスでは、一九八〇年に金融業の従業員が労働人口の一一％だったのが、最近二二％にまでなった）。つまり、アングロ・サクソンの国で金融業があれほど支配的な存在であるということは、世界的分業の合理性の結果であって、他のあらゆる国がそれと同じ方向に進む必要はない。

一理あるかもしれない。しかし、事実は、金融市場が正にグローバルであるためにこそ、金融に特化する国のソフト・パワー――その国の規範や価値基準、特に何が「適当な利回り」であるかという観念――が他の国の経済活動、経済価値観を規制するのである。

また、その分業の分配的効果も問われなければならない。海運に特化しているノルウェーが世界貿易に貢献しているように、金融特化国米英は他国にサービスを与えて、たとえば資金調達をよりしやすく、より低廉化し、信用を与え、保険を与える実質的なサービスを与えているのか。それとも、他国から、余剰価値を吸い上げる役割を果たす効果の方が大きいのか。

一九九七年のアジア危機が典型的な例である。九〇年代の中期、金融大国の銀行などの金融業者は、タイや韓国へ大量のドル・ベースの借款――主として短期借款――を気前よくつぎ込んで、景気に大いに貢献した。ところが、好景気に伴って膨れ上がった資産バブルが破裂しかけると、欧米の銀行は、「短期借款の再契約お断り」となり、為替レートが崩壊する中で、現地の銀行は借金の返済を強いられた。銀行をはじめ、破産に追い込まれた現地企業が数多あり、ひどい不景気に陥った。金融特化国の銀行は、不良債権の損失は多少あっても、銀行の経営者や従業員たちには景気旺盛時のボーナスを返済する義務などもなく、へっちゃらであった。

企業家精神も、相当な利回りを生みそうな投資計画も、そしてリスクを負う覚悟も、全部そろっているにもかかわらず、資本だけが足りないという国はたしかにある。資本がだぶついている国からそのような国へ、金融的資源の流れを媒介することは、誰が見ても、グローバル資本市場の機能として、大いに奨励されるべきことだろう（為替の変動などへのヘッジが十分でさえあれば）。ドイツからルーマニア、ポーランドへ、フランスからアルジェリアへ、アメリカからペルーへ。これらの資金フローがその類だろう。

しかし、今世紀に入って、世界の経済成長の秘訣は、同じ資本の国際的移転ではあったのだが、それは富裕国から貧困国の実体経済における投資のためのフローというよりも、相対的に貧困な国から富裕国の実体経済における消費のためのフローであった。世界の牽引車役を果たしてきたのはアングロ・サクソン経済、特に米国の消費者の旺盛な輸入意欲であった。絶えず借金を重ねるほどの消費意欲であった。先に少し触れたようにアメリカ人は、年々国内の生産量より四—五％多く（多い時は六％）消費して、平均的な家計が一年の可処分所得をはるかに超える借金を作って、アメリカは各国の生産物の格好な市場となった。それを可能にしていたのは、日本人の「いざなぎ景気よりも長い景気というが景気拡大の実感はない」という決まり文句に現れているように、消費が停滞して、国民が国内生産より三—四％少なく消費していたことで、その余剰の貯蓄はアメリカ人の借金へと転じられていった。中国は日本のように消費停滞の国とは決して言えないが、生産量の成長がものすごいので、消費が追いつかず、やはり米国の消費を支えるための貸付の額が膨大なものとなった。

日本、中国、産油諸国のこうした貯蓄が豊富だったため、利子率が低かった。それが、信用バブル、資産バブルを招いて、二〇〇七—〇八年の金融危機の大きな基礎的要因となった。

信用バブルの破裂によるパニック、特にリーマン・ショックの後のパニックは、実体経済の深刻な不況をもたらした。しかし各国で、公的資金が銀行へ大量に注入されることによってパニック感は薄らいだ。ロンドンのG20サミットで主要国が一斉に経済刺激政策を採ることが合意され、景気期待感が改善した。こうして、二〇一〇年の春には、世界規模の実体経済の不況が終わりそうになっていた。

ただそこで、一九三七年のルーズヴェルト、一九九七年の橋本と同じ誤謬を繰り返してしまった。主要国が一斉に、刺激策から、借款切り崩し、経済引き締め政策に変わり、「二番底」どころではない将来が予想される状況だ。

しかし、それまでの、つまり二〇一一年初頭までの「回復」の中身が何だったのか問わなければならない。やはり、二〇〇七年以前の、債務国米国、債権国中国・日本という、災いの元だった構造的インバランスへの逆戻りにすぎなかったのである。

金融業者にとっては、どうでもいいことであろう。生産的な投資のためであろうが、借金の山を作る消費のためであろうが、資本の国際的移転から得られる手数料、および保険まがいの派生商品発行料などは、同じく膨大なものになるのである。先述のように、銀行、ノンバンク、証券会社などは儲けが大きいだけに、ボーナスも大きい。パニックで職を失っても、それまでのボーナスで資産家となっているので、哀れむべき失業者とはならない。

いずれ、元の議論に戻れば、金融化現象は、海運、アルミ精錬、養魚などに特化する国があり、そういう「モノ」や「サービス」を輸入する国もあるように、ただ金融業に特化する国があり、そうでない国もあるという事実がもたらす幻想ではない。金融化は世界経済全体から見て実体であり、金融に特化する国に、世界経済における不当な優位性を与える現象なのである。

裕福な社会のサービス経済化

もう一つの「進化論」がある。金融業の膨張は、経済成長によって社会がより裕福になることの当然な結果であるというものである。工業化の過程で農業人口が全人口の八〇％から五％くらいまで減り（日本の場合一八七〇年から一九八五年の間）、次いで、工業労働者が、四〇％から三〇％へ、そして二〇％へと減り、アメリカ並みの一〇％台に入る。物質生産技術の効率性が増すにしたがって、「モノ」を作る労働人口が縮小して、ますます第三次産業が拡大する。つまり、サービス経済になるわけだが、それは普遍的な成長過程である。日本やドイツで、製造業のGNP比率および就労比率が、たとえばアメリカに比べて、依然として高いのは日本やドイツの「後進性」の表れであって、「モノ作り」礼賛思想は時代遅れのおセンチにすぎないとする向きさえある（最近アメリカが大混乱に陥ってからそう主張する人は大分自信を失っただろうが）。

歴史的段階論の一種の進化論である。マルクスであろうが、ハーバート・スペンサーであろうが、歴史的段階論者は、過去を分析して、そこに見つかる諸傾向を外挿して、未来の社会を描く預言者である。ところが、その「科学的」な論法に実は自分の価値観を注入していることに気づかないという欠点がある。「変化」と「進化」の違いを十分弁《わきま》えない論法なのである。

サービス経済では、医療、教育、ビジネスのほかに、観光業、外食産業、娯楽産業も成長する。同時に平均的家計の金融資産（預金・現金・証券・年金積み立てなど）も増大するので、金融業も当然拡大する。

ＯＥＣＤの調査がある。平均的家計の金融資産が、年間可処分所得の何倍率かを見る。調査八か国のいずれも資産の方が大きく、最近の二〇年間でほとんど二倍になってきた。たとえばフランスなら、一九八〇年の家計の総資産は、年間所得の一・二倍だったが、二〇〇四年には二・五倍になった。日本は元々二・五倍だったが、五倍近くになった。[*61] 資産が増えてくると、倹約第一とする精神が薄らいでくる。娯楽産業の中でギャンブルを伴う遊びが多くなる。損をしても致命的な打撃にはならない程度のギャンブルが広がってくる。

金融業において、投機的な要素が増えていくのは、外食産業、観光業、高級時計製造業、カジノ業の膨張と並行した、家計貯蓄のギャンブル化同様、自然な傾向であるというのが、一種の「消費者主権主義」の論法である。

今度の金融危機を招いた投機的な投資では、そのリスクを究極的に負ったのが個人の貯蓄者・投資家であったとはいえ、その「あえてリスクを取るという判断」をしたのは、貯蓄者・個人投資家でなく、ファンドなど、大量の資産管理に携わっていた金融業者たちであった。たとえ投資に賭けがなくても、そして膨大な損失が出ても、資産管理費、取引手数料で大儲けをする人たちである。二〇〇七年のアメリカで、個人収入が二〇億ドル（一・六兆円）を超えた人は三人いたそうである。三人とも、米国ヘッジファンド経営者であった。ギャンブルをするなら、他人の金を使った方が得である。

「すばらしい構造改革」

利回りの不確定な「株をやる」人が増えてくるのは、社会が裕福になって、消費者が美食ばかりでなく、ギャンブルの趣味を覚えるからだ、という説は説得力を欠く。ただ、退屈した主婦が、株をやってデイ・トレーダーになったりするのはそういうことかもしれない。しかし、国民一般が高いリスクの投資をするようになったのは、年金制度の「構造改革」によって強いられた結果でもあるだろう。特に、税制適格退職年金制度（適格年金。国家の厚生年金と連結していた制度）が、一〇年前から廃れつつあって、いよいよ二〇一二年三月に完全に廃止されることの意味は大きい。前にも少し触れたが、それに促されて、ますます確定給付型から確定拠出型に移っている。企業年金の基金利回りの変動リスクが会社の業績に反映され、株価に影響を与えることがないように、リスクを会社から個々の従業員に移すための制度変化である。

新自由主義者によると、「自己責任」確立のすばらしい構造改革である。アングロ・サクソン資本主義の諸国で、企業年金がほとんどすべてそのようになり、一〇年以上前から日本がそれに追随した。リスクを負うと同時に、各個人が自分の積立金をどう配分するか考えざるをえなくなる。株か、社債か、国債か、不動産投資信託（REIT）か。当人がそれぞれのリスク・アンド・リターンを評価するのが建前だが、大半の人が十分な情報も持たず、どんな情報が必要であるかについての背景的知識さえもないまま、選択しなければならない。どんな選択をしても、中間金融業者が手数料を取る。そしてその選択にかかっているのは、自分の老後生活の安定を支える年金で、「うまくいけば、カリブ海の島を買うか、ヨットの買い替え。だめなら、今持っているヨットを売らなければならないかも」といった、余剰金で遊んでいるようなヘッジファンド経営者など大資産家の投資とは違う。

日本で現に、一般の年金拠出者がどんなひどい目にあっているか、格付投資情報センター（Rating & Investment Information, Inc：R＆I社）の年々の調査がはっきりと示している（R＆I社は、企業の年金制度のコンサルタントもする会社で、『年金情報』という雑誌も出している）。二〇一〇年の調査では、約一一〇万人を抽出して三月末の運用成績を調べた。その結果である。

三月末時点で加入者の六三％が元本割れとなり、年利回りは四人に一人が一〇％以上のマイナスになったとのことです。今後も厳しい運用状況が続けば、老後に必要な資金を十分確保できなくなる懸念もあります。[*62]

金融リテラシー――大衆の無知が悪い？

「いけないのは、無理な投機的選択を個人に強いる制度ではなくて、合理的な選択ができない無知な個人である。必要なのは、十分な教育だ」――と主張する経済学者や官僚も多い。近年、「金融関係知識アンケート調査」がはやった（普段「金融リテラシー」という用語を使うのだが、その語自体に、一市民として欠かせない当然な知識という含みがある）。イタリアでそのようなアンケートを行った経済学者は、「イタリア人の半分は株式と社債の違いさえ知らない」と驚き嘆いた。[*63]二〇〇五年には、OECDの金融部の中に、金融教育課が新設された。

アメリカでは、イタリアと同様な調査が二〇〇七年に行われたが、[*64]それに則った日本語版のアンケートを日本の内閣府が調査機関に委託した。第1部の最後で触れた、平成二〇年（二〇〇八年）の『経済財政白書』（年次経済財政報告書）で、「なぜ日本人はもっと株を買わないのか」という問いかけに答えるための資料にした[*65]（その問いかけの根底にあるのは、「日本は遅れている」という認識である。たとえば、最も貯蓄額の大きい二〇％の家庭では、アメリカなら三〇％以上が株に投資しているのに、日本では一〇％以下であるというデータを引用している）。[*66]

日本で内閣府が委託した郵送調査、「家計の生活と行動に関する調査」の結果全体はネット上に公開されていないようだ。ただ、『白書』が語っているところによると、金融知識を基礎的な知識と高度な知識に分けていたようである。基礎的な金融リテラシーを測る三つの質問は、金利の計算、複利の計算、実質金利の計算についてで、高度な金融知識のテストとしては、株式、株式信託、社債に関する問いが使われていた。『白書』には、基礎的知識を測るための三つの質問の一つにも正答できない人がどのくらいいたか出ていないが、そうした人たちの株の保有率は三%だった。三問とも全部正解の人の場合、その割合が一五%に上がるということを指摘して、金融教育の必要性・重要性を強調している。[*67]「一億オール株屋」を目指している書きっぷりである。

OECDの金融教育課にとっては、金融商品のセールスマンに騙されないための「消費者保護」が大義名分で、日本の『白書』ほど露骨でなくとも、多くの国で「証券文化」の推進、株式市場の活性化を主たる目的にしているのである。その教育活動のスポンサーである金融業者の喝采の中で。

必然性?

この2・2節のタイトルを「金融化の普遍性、必然性?」としたことには説明が必要だろう。先進国社会なら、その「普遍性」は事実だろうが、疑問符は「必然性」の方にかかる。必然的な社会の進化のように見える現象だが、「金融化」は果たして本当に必然なのか。それとも、社会における富の分配、先天的能力や社会的威信の分配によって権力を持つようになった特定の利益集団が自己利益のために作った制度、あるいは、使命感に駆られた政治家——ケインズが言うような「とうに死んだ経済学者や哲学者の学説やイデオロギー」に無意識に影響された政治家——などが作った制度なのだろうか。

伝統を大事にする「いにしえ心」や「自然」を重んじる本居宣長と、人間の「作為」を重んじた徂徠学派の人たちとの違い、その間の論争などを見事に分析した丸山眞男の論文がある。[*68]それは、東西を問わず、歴史哲学の主要なテーマである。最近の経済理論では、いわゆるエージェンシー論として再生されている。

四、五年前、まだコーポレート・ガバナンスが活発に論じられ、『会社は誰のものか』などの題の本が氾濫していた時、私は『誰のための会社にするか』と題する新書を書いた。[*69]会社における権力の分配、会社が作る付加価値の分配を規制する法体制および組織・慣習は、「自然」の範疇でなく、あくまで「作為」の範疇に属することを強調したかったのである。

金融化もそうである。金融化の傾向を堰き止めようとするなら、あるいは逆戻りさせようとするなら、今の「グローバル化」時代でも、会社法、年金法、銀行法、金融商品取引法などの改正によって、制度を変えることは可能なのである。

ただ、その方向に行こうとする政治勢力が必要で、そういった政治勢力を形成しようとする政治思想家はどこにいるのだろうか。私事にわたって申し訳ないが、私が最初日本を訪れた六〇年前には、そのような勢力と反対の勢力が互いの理想をぶつけ合うような、生き生きとした「論壇」があった。一方に、「岩波文化人」(私の親しい友人であった丸山眞男や加藤周一や、まだ珍しく元気である鶴見俊輔をはじめとして)、他方に、彼らを「進歩的文化人」と野次って、その愚かさを攻撃する「保守派」の福田恆存や江藤淳など、その間の論争を懐かしく思い出す。

今の日本には「憂国の士」はいっぱいいるが、彼らのような「憂国民の士」、「憂社会の士」がいなくなったような気がする。自分の老化の影響もあるのだろうが、熱心に参加したくなるような生産的な論争の雰囲気はどこへやら、蒸発してしまったようで、現状を悲しむしかない。

2・3――学者の反省と開き直り

人類の進歩の現れ

「百年に一度」の不景気を引き起こして、非難の大合唱を浴びたウォール街、ロンドン・シティの金融業者が、それに乗じた規制強化の動きをはぐらかすために政治力を駆使した話は3・3節に譲る。ここでは、金融業者の代弁者の役を果たしてきた経済学者の自己防衛戦術を検討しよう。

これまで見てきたのは、「金融業の拡大と実体経済に対する支配力の増大は、経済発展の必然的な進化であった」という説だった。ところが、従来、経済学界での支配的な見解は、金融業拡大は必然的な進化であるばかりでなく、祝福すべき進歩であるというものだった。

市場原理主義経済学者の明示的信念としての、いわゆる「市場の効率性仮説（efficient market hypothesis）」（1・2節参照）が、経済理論家ではない、政治家、行政官、ジャーナリストたちの無意識の前提となってきていた。繰り返しになるが、その内容とは、市場で売買する人々は自己利益最大化を目指す合理的な人間だから、市場におけるモノの価格は、その市場が十分広く、かつ流動的ならば、大体ファンダメンタルズ（その資産が将来生むべき所得の現在価値）を反映するはずだというものだ。たまには投機的なバブルがあっても、自動制御のメカニズムが働いて、是正される。グリーンスパンFRB議長が、アメリカの住宅バブルの危険性を度々否定した根拠がそれだった。[*70] 欧米でも、日本でも、金融業規制の実地に携わっていた行政官たちも大体そう信じていた。イギリスの金融庁の長官が、雑誌の対談で二〇〇八年の危機の発生についてこう述べている。

新しい金融商品の導入は免許制だった。申請を受けた官僚は、商品があまりにも複雑で、リスクの計算が難しいため、システム全体に対する影響が測り難く、「銀行が提案しているなら、そうしたリスクも計算に入れ、価値あるものと判断して買う人がいるという判断に基づいた申請なのだから、許可しない理由はない。市場テストしかないだろう」と簡単に許可してきた。それが間違っていたことが今分かった。[*71]

二〇〇八年の秋、イギリスの国王がロンドン大学の経済政治学院（LSE）を訪ねた時、経済学者に「どうしてこんな危機になることを予期できなかったのか」と、挑んだことがきっかけで、イギリスの学士院が次の春にその問いかけをテーマとするシンポジウムを催し、国王に公開書簡を書いた。[*72] 予測していたかどうかについては、たとえば、国際収支のインバランスも、米国経済における借金拡大に基づいた消費経済も、永遠には続かないという警告を発していた人たちはかなりいた。

しかし、そういう警告にもかかわらず、大抵の人は銀行の経営者は、下手なことはしないものだと信じていました。金融専門の魔法使いが、リスク管理の新しい、すばらしい技術を見つけたと思い込んでいました。否、リスク管理を超えて、リスクを実質的に皆無にする、新しい金融商品が発明されたと思う人さえいました。前例のない集団的幻想でした。資本市場は昔と根本的に変わったと思われ、政治家も「市場」に惑わされていました。

このような告白はあったが、主に経済学者が出席したそのシンポジウムで、経済学界の責任が問われることはなかった。しかし、国王の質問とそれに対する回答から起こった論争では、経済学界こそが災いの元だとする意見が強く主張された。中でも、議論の急先鋒の一人は、前出のロバート・スキデルスキーだった。

国王の質問自体が間違っていた。「予測が可能である」という経済学者たちの自負をそのまま前提にしていたからだ。[将来は原則的に予測できないのだが、経済学者の」それに対する答えは、「合理的な人々があらゆる情報を使って行動する、比較的安定した、繰り返しの多い環境を前提にすれば、不確実性がなくなり、計算可能なリスクだけが残る」というものである。ショックも、誤りも時々起こるが、それを相殺するような自己制御のメカニズムがあって、平均して人々の期待通りにことが運ばれると。

金融経済学を支配してきた「市場の効率性仮説」はその世界観の一つの産物で、それによれば株式の価格はいつも正しい価格である。その信念に基づいて、銀行の経営者たちは部下の数学的モデルを一〇〇パーセント信じ、政治家も、資本市場が崩壊する可能性を無視するようになった。

経済学がハードな、予測も可能な「科学」と自負したのは、ロボットの振る舞いのような機械的世界を前提としていたためであった。実際の人間の行動を規定する動機付けについては何も語りえない。ケインズは「その機械的経済学の欠陥を十分暴露して」、人間の行動を経験的に研究する、他の学問と連携する「政治経済学」への道を開いたのだが、経済学の主流は、高度な数学を発揮できるほうの道を選んだ。[*73]

「資本市場よりいいメカニズムはありえない」

また、大西洋の向こうの、もう一つのアングロ・サクソン経済について、ポール・クルーグマンは、長めのコラムにこう書いた。

二、三人を除いて、経済学者が今度の危機を予測できなかったことは本当だが、それよりも咎めるべきは、市場経済において致命的な故障の起こる可能性自体を全く否定していたことだった。金融経済学界では、市場は本質的に安定した制度であって、「市場価格＝妥当な価格」という信念が圧倒的に普及していた。マクロ経済学者は二派に分かれる。一方に、市場経済は故障と言えるほどの故障はありえないと思った人と、一方に、故障はするが、万能な中央銀行の政策が賢明なら、故障は簡単に直せるはずだと思う人と。問題は学界全体がすごい数学の衣を着た「美」と経験的な「真」をゴッチャにしていたことである。一九三〇年代の不況まで、経済学者の多くは資本主義を完全な、あるいはほとんど完全なシステムと見ていた。不況の大量失業という事実はその信念を破壊したのだが、不況の記憶が薄れていくに従って、「合理的な個人の完全無欠な市場における取引」という、昔の理想的な、ロマンチックな経済観に戻った。ただ、今度は魅力的で巧妙な数学式で飾った議論でなければならなかった。*74

治療法とは何か。スキデルスキーは経済学部教育の改革を主張する。ミクロ経済学研究が依然として数学的モデルを駆使するものであっても、マクロ経済学は「経済史、政治史、経済思想史、倫理学や政治哲学および社会学」と並行して研究するべきものだと。

しかし、そのような批判で降参する新古典派学者はあまりいない。「市場効率性仮説」の生みの親、ユージン・ファーマ氏の同僚で、シカゴ・ビジネス・スクールのリチャード・セイラー教授は、日本のバブル、ドット・コムのバブル、そして今時の住宅・信用のバブルを経験して、何十兆ドルの価値破壊を見た後、その仮説を依然として是とすることは難しいと認める。そして、金融機関に対する何らかの規制が必要かもしれないとも言う。しかし、「それでも資本の投資配分という機能を果たすのに、資本市場よりいいメカニズムはありえない」と主張する。*75

金融システムの故障を認め、改善の余地が十分あることも認めながら、「それでも」というのが、普通の防衛戦術である。いい例は、今度の危機に関して二人のイタリア人経済学者

（アルベルト・アレシナとフランチェスコ・ジャヴァッツィ）の最近の本である。[*76] 著者たちによれば、金融業があらゆる罪悪の源泉だと罵ったり、「資本主義の終焉」などのスローガンを唱えたりする「ポピュリズム」は排撃すべきだ。資本市場は依然として、実体経済が必要とする機能、資本の投資配分の役割を効率的に果たすシステムであると主張するのだ。彼らは、その証拠として三つの例を挙げる。それらを一つずつ検討してみよう。

ベンチャー資本

その第一の例は、先にも触れたシリコン・バレーである。人類の福祉に大いに貢献した発明家があれだけ創造的に企業を起こすことができたのは、ひとえにベンチャーのファンド経営者のおかげであったと言うのである。資金を上手に、そして大量に調達して、鋭い判断の下、賢明なリスク計算をした上で、豊富に資本を提供するベンチャー資本家がいなかったら、肝心の発明家、起業家も事業の起こしようがなかった、と。

ベンチャー企業への投資の問題に入る前に、金融業の活動のどれくらいの割合が、ベンチャー・キャピタルも含めての生産的実体経済に対する融資になっているかを見てみなければならない。イギリスの場合、こういう計算がある。

一九九六年から二〇〇八年まで産業投資のGDP比は、安定して一割くらいだった。ところが銀行の貸付の中で実体経済への貸付は、総融資額の三〇%から一〇%へと段々少なくなっていったのである。代わって膨張したのが、不動産業や他の金融業者への貸付であった。[77]金融業企業がイギリスの主要企業一〇〇社の利益の三〇%を占め、ROE（自己資本利益率）一五―二〇%水準になった。

シリコン・バレーの話に戻ると、アレシナたちの言う通りだったに違いない。しかし、「但し書き」はいくつもある。たとえば、シリコン・バレーの資本は全部が民間の資本市場から供給されたわけではない。国家――国防省およびNASA（アメリカ航空宇宙局）――からの補助金もあった。シリコン・バレーの幼年時代、ロシアのスプートニク打ち上げ成功後の補助金がコンピュータ産業の発足に大きな役割を果たした。最近も「グーグルの開発者たち、（ラリー・）ペイジと（セルゲイ・）ブリンが最初に企業を起こした時、国防省からの金も入っていたし、二〇〇五年のロボット自動車競走の時、賞は国防省から贈られた」。[78]

また、起業家のアイデアがどこで孵化したかと言えば、アメリカ政府の公共資金で支えられた大学工学部の大学院のケースが多い。さらにさかのぼって、起業家に基礎知識を与えたのがどこなのかと言えば、多くの場合、「インドおよび中国の大学」という答えが正しい。ある調査によると、九〇年代半ば、シリコン・バレー企業の二九%では、中国かインドからの移民が社長をしていた。[79]

そして、一番重要な「但し書き」は、ベンチャー資本市場から起業家へというメカニズムのほかに、イノベーションに必要な資金調達には、大企業によるもう一つのメカニズムがあるということである。少々横道に逸れるが、それを比較、検討しよう。

イノベーションの二つの道

人類の幸福に大いに貢献する新しいアイデア、新しい製品を創造する方法は、ベンチャー資本が主役のものだけではない。特許の数を一つの大まかな指標とするならば、アメリカでは、シリコン・バレーや、ボストンの一二八号高速近辺の起業家企業によるものより、IBMやインテルやモトローラなど、大企業の研究開発部に端を発しているものが多いのである。ましてや、日本となると、大企業が中心である。日本では、四半世紀にわたる政府の後押しにもかかわらず、依然としてベンチャー・ファンドの規模が小さい。四、五年前のデータだが、日本貿易振興機構（JETRO）の報告書によると、ベンチャー資本として投資された額は八八〇〇億円で、米国の二六兆円程度の三〇分の一、ヨーロッパの二〇分の一であった。[*80]

ところが日本は、たとえばアメリカで登録される特許数を指標とすれば、明らかにイノベーションを怠っていない。二〇〇八年の数字だと、発明家がアメリカ在住者である特許は七万八〇〇〇件であるのに対して、日本在住者の場合は三万四〇〇〇件で、つまり、人口一人当たり特許数となると、日本の方が多いのだ。そして日本では、発明、新製品開発の源泉は圧倒的に既存の企業、特に大企業の研究開発部なのである。

つまり、資本の供給はベンチャー資本市場からではなく、会社内の内部留保や減価償却の形で生まれたキャッシュ・フローによる。開発案のプロジェクトの吟味を行い、進行させるかどうかを決めるのは、ベンチャー資本家・エンジェルではなく、会社のトップも関与する、開発部、販売部、製造部などの共同検討の場なのだ。アイデア創出や創造的な開発の実地の仕事は、うまくいけば百万長者になれる一匹狼の起業家ではなく、サラリーマンの研究員による。研究プロジェクトが、金を無駄にする大失敗に終わるリスクを負うのは、ベンチャー資本家や発明家ではなくて、会社なのである。

個人の利益を主要なインセンティブとするシステムと、企業の業績向上を望む意識を主要なインセンティブとするシステムとの違いである。どちらがイノベーションを促進するルートとして効率的なのか。その問いかけは、裁量的な制度選択のように聞こえるだろうが、ここで問題になっているのは、誰かが「選択」した制度の違いではなく、自然発生的な制度の違いである。アメリカと日本との「国柄」の違いに触れずには説明できない制度の相違である。

「成果主義」

ベンチャー資本育成に一生懸命なＪＥＴＲＯは、先に引用した報告書で、「どうして日本でベンチャー企業が育たないか」という問いに対して、「雇用者の安定・危機回避志向が強い」ことを一つの要因として挙げている。ところが、アメリカは変わらなくても、日本の

「国柄」は変わってきている。日本のシステムを、JETROが「企業の業績向上を望む意識を主要なインセンティブとするシステム」と規定したのだが、「業績向上＝自社の名声向上、従業員全体、協力会社全体の生活向上」という等式が一般経営者の常識だった時は、そのインセンティブが強かった。ところが、「業績向上＝株価が高水準、株主への還元最大、経営者の自己満足・報酬拡大」という考え方がますます普及している現在では、そのインセンティブは弱まるのではないだろうか。

「成果主義」という大義名分で、より個人主義的インセンティブに頼る組織が奨励されてきた最近の日本では、システムが――「少々」だか、「大いに」だかは人によって評価が違うだろうが――変わりつつある。社員でなく、契約労働者という資格の研究者が増えたし、同業者間の「引き抜き禁止」の暗黙の協約は守られなくなった。会社で働いて自分が発明した知的財産の所有権は当然会社にあるという、今までの常識が崩れつつあった頃、二〇〇四年、東京地方裁判所の日亜化学事件の判決が、その常識崩壊を促進する大きな刺激となった。

青色発光ダイオードの製造を可能とする特許の発明者、中村修二に、彼が勤めていた会社、日亜化学は、彼の貢献への「相当な価格」として、二〇〇億円（日亜化学のそれまでの六年間の利益に当たる額）を払うべきだという判決である（後に高等裁判所における和解で、八億四〇〇〇万円に減額された）。後に、特許法の一部改正で、企業ごとの労働規則――労働組合などとの合意において決められた規則――によって「相当な価格」を計算する基準を決めた場合、その基準の法的効力を強めるように修正されたが、常識の変化は依然として進行しているようである。

このような変化は、日本の技術的将来に影を投げかける、大学進学希望者の理工系離れと無関係ではない。長年技術畑で活躍してきた経営者が私信で使った言葉を借りれば、最近は「技術者は、絶えず新しい技術を創出する厳しさを求められる割には、得るものが少ないことに不満があり、魅力的な職業ではないとの社会的評価が定まってきている」。報酬・昇進の基準として、「努力」と「成果」のバランスが、成果の方へ移ると、成果が出るかどうかが本質的に不確実な実験を職業とする人は、不満を持つようになり、技術者の道は魅力的な選択肢でないという考えが普及するのは、当たり前だろう。

個人主義的なアメリカでは、雇用契約において、研究者が、職務の遂行の結果得た知的財産は会社のものになること、転職してもそれを競争相手に漏らさないこと、それを利用して会社と競争する企業を創設しないことなどを約束させるのが普通である。それに対する契約違反の訴訟も多い。シリコン・バレーの高層ビルの中で目立って大きいのは、法律事務所ばかりが入ったビルである。それでも、相当な利益を得て大企業からスピンオフする人も少なくない。

アラン・シュガート（Alan Shugart）は目立って成功した起業家で、彼が作ったシーゲート・テクノロジー（Seagate Technology）は、ハードディスク市場でそれまで優勢であったI

BMがハードディスク部門を日立に売ってしまうまでに追い込んだ人だが、彼は若い頃、一七年間もIBMの従業員としてフロッピー・ディスクの開発に努めていた。そして、皮肉なことに、彼のハードディスク開発を可能にしたベンチャー・ファンドの資本の相当な部分は、IBMの年金基金の投資によっていたのである。

日本がそこまで割り切った個人主義・契約主義の社会になるまでには相当時間がかかるだろう。アメリカン・モデルがどれだけ長続きするかも問題だ。アメリカの（以上のIBMの年金基金などのような）機関投資家は、段々とベンチャー・ファンドへの投資を渋るようになっているという報道もある。[*81]

農業開発

二人のイタリア人経済学者が挙げる、金融業の有用性の第二の例は、貧しい農民へのサービスである。世界で一番貧しい農民である、アフリカやインドの農民を考えてみよう。貯蓄などはとうていできず、その年その年の収穫で生計を立てなければならない。収穫がよければ、家族が十分食べられ、子供を学校に通わせる金も稼げる。来年の収穫をよりよくするための改良種も買えるかもしれない。ただ収穫が悪ければ、来年の収穫までどうやって食べていくかが問題になる。

銀行は、こういう人たちには金を貸さない。返済の可能性があまりにも不確実だからである。彼らに必要なのは、三つの金融商品である。一定の水準以下の収穫に対する保険、次の収穫を一定の価格で売るという先物契約、およびその契約を担保として、最も改良された種と肥料を買うための貸付である。

ごもっとも。過去の半世紀において、日本、韓国、台湾、中国、タイ、マレーシアなどアジア諸国の農民の生活を画期的に改善したのは、正にそのような保険、将来の価格に対する保障、種や肥料を買うための貸付であった。しかし、そういう制度の供給に、営利事業者としての「金融商品生産者」の果たした役割は皆無に等しい。農民の生活をよくしたのは、国家の買い上げによる価格統制、農業協同組合などが経営し、国家が保証を与えた作物保険制度、そして組合を通じて流された資材購入の貸付であった。東アジアのように、国家が「脱儒教圏官僚」に恵まれていなかった、インドやバングラデシュなどでは、開発志向の国家政策があまり用を果たさず、従来の高利貸しを追い出して、何とか貧乏人の味方となる制度を作ったのは、民間の金融業者ではなく、都会の中流の慈善事業者だった。

マイクロクレジットの制度は、ノーベル賞を受賞したムハマド・ユヌス氏のボランティア精神なくしては成り立たなかっただろう。それは、農村の共同体の絆を利用して貸付返済を促す点で、鎌倉時代に生まれ、農村でつい最近まで行われていた日本の「無尽講」にも明治時代の産業組合にもちょっと似たものである。

バングラデシュから各国に普及していったマイクロクレジットの様々な試みを検討すると、

メンバーの貯蓄に、民間の寄付金か国家の補助金が加わらないとうまくいくところは少なくなるようである。最近あまり評判がよくないのは、補助金を要さない自立の営利銀行制度にしようとしたためであるらしい。[*82] マイクロクレジットは、経営者に高い給料を払ったり、ましてや株主に配当を配ったりするような組織には適していない。

近代的な資本が貧困農家を助ける例は、金融業専門でなく、ほとんど開発途上国における多国籍企業の活動による。たとえば、日本の商社が中国で椎茸栽培やイグサ栽培を組織したり、アフガニスタンでタリバンがポピー栽培の商業的インフラを作ったりしたように。

金融業の貧乏人へのサービスといえば、今度の世界不況の発端となったサブプライムローン貸付が正にそうであった。現在は、貪欲な、無責任なブローカーの仕業とされているが、前に米国国会議員が褒め称えた——否、もっとやるべきだと住宅ローン機関を責めた——低所得者への貸付であった（「忍者ローン」という奇妙な冗談もあった。No income, no job, no assets ——所得も、仕事も、資産もない人——の頭文字「Ninja」を取って）。

しかしアメリカでは、マイクロクレジットの手法は使われなかった。定年後、マイクロクレジット機構でボランティアとして働いている元銀行員は、イギリスなどに少なくないのだが、その一人が「公正金融」（Fair Finance）という第三セクターの会長をしている。彼はイギリスの雑誌への寄稿で、営利事業のサブプライムローンではなく、マイクロクレジットを使っていたら、そう悲劇的な危機に陥らなかったはずだと主張している。[*83]

リスクの分散

二人の著者による第三の例は、資産の市場リスクを少なくするためのリスク分散の便利さである。「あらゆる機会を利用して、リスクを分散することは賢明なことである」と言う。たとえば、あなたがジェノヴァに住宅を持っているとしよう。もしジェノヴァ港の景気が悪くなれば、住宅市場も影響され、あなたの家の市場価値が下がる可能性がある。その可能性に備え、そのリスクを低減させるためのうまい金融商品がある。エクイティ・リリースと称され、死ぬまでそのまま家に住む権利を保持しながら、家の最終的所有権を不動産投資信託（REIT）に売って、それで得た金をその信託に投資するというものである。信託の持っている住宅は各地方に分散しているから、ジェノヴァの住宅価格が特に落ち込んでも、信託証券の価値はそれほど影響を受けない。自分の資産の価値を安定させたことに成功、安心してよく眠れるはずだ、と。

なるほど、そうする人もいるだろう。ご苦労様である。合理的な人は、まず、数多い不動産投資信託の相対的長所・弱点を比較するための情報を集めるのに時間をかけるだろう。またたは相当な謝礼を払って、専門のアドバイザーを頼むだろう。ただ、信託を選んで契約をしてから、「あっ、しまった、もっといいのがあった。あれにすればよかった」と悔しがったりする可能性も考えなければならない。信託の開示データで、信託の管理費で儲けている信託経営者の給料を見て、「こんなに高いのか、自分の証券の価値をどれだけ侵食しているだろうか」と不愉快な思いをしたり、信託自体が倒産する可能性はないか、その場合に備えて、CDSを買った方がいいのではないかなど、心配も多いだろう。

余計な苦労だ。そんなことに時間と金を費やすより、リラックスして、本を読んだり、家族と余暇を楽しんだり、庭作りをしたりした方がいい。自分の家の住みやすさは、市場価格の変動と全く無関係だと自覚して。古典派経済学者が言っていた使用価値と交換価値の区別は、依然として有意義な違いを示している。

もっとも、あなたがジェノヴァの造船所の社長で、ドル建ての価格でアメリカの富裕層向けのヨットを専門に作っていたとしたら、為替レートが不利に変動する可能性に対して、落ち着いてはいられないだろう。ユーロの収入を確保するためのヘッジが価格の五―六%に当たるかもしれないが、為替の変動が激しい世の中では、それでも払った方がいい。

つまり、国際貿易においてそのようなヘッジが重要な役割を果たしていることは、自分の家に火災保険をかけるのと同じように、いたって合理的なことである。そのような金融サービスを提供するのは、社会的に有用なことである。しかし、二人の経済学者が、一般国民への有用なサービスとして、同じように前記の持ち家の例を挙げることには驚くしかない。それは、金融業者が巧妙な新技術を通じて国民にいかにすばらしいサービスを提供しているかという例ではなく、無用の長物を高値で人に売り込むための巧妙な広告にすぎないだろう。

2・4――「危機を無駄にするな」

問題の国際性

二〇〇九年の初めから、「せっかくの危機は無駄にしてはいけない」と何度も繰り返された。そして実際、危機はチャンスでもある。国民に深刻な危機感がある時、平時には考えられない抜本的な改革が政治的に可能となる。

「リーマン・ショック以降の金融危機、その実体経済へのしわ寄せとしての世界的不況は、絶対に二度と起こしてはいけない。起こらないように金融制度を根本的に変えなければならない」。それが二〇〇八年の秋から不協和音一つも許さない合唱の一つとなった。ノー・モア・ヒロシマと同じような、ノー・モア・リーマン・ショック。世界中で唱えられたスローガンが、「金融安定」であった。

しかし、国際的なスローガンを実質的改革として実行するのは、依然として、個別国家である。二〇一〇年六月に制定され、その年の秋の選挙後、共和党が極力骨抜きにしようとしている、米国の「ドッド＝フランク法（ウォール街改革および消費者保護法）」のように、制度作り直しの効果がありうるのは、罰則を含む法律を制定できる主権国家の内部においてである。

ところが、金融制度とはグローバルなものである。国際決済銀行の統計によれば、世界の銀行の海外債権は三〇兆ドルで、世界の銀行の総資産の約半分に当たる。[*84] リーマン・ショックのすぐ後で、イェール大学のガーテン教授はこう書いた。[*85]

金融業の国際的な広がりは目眩いを催させるものがある。世界金融資産の総額は一九八〇年には一二兆ドルだったのが、二〇〇七年には二〇〇兆ドルに達している。世界総生産や国際貿易総額よりも、はるかに膨張率が大きいのである。そしてその資本の「住所」はといえば、欧米よりもアジア、近東の割合が年々増えている。アメリカの保険大手AIGの保険契約やCDSの半分以上は海外との契約だし、スイスの銀行UBSは、もはやスイスの銀行ではなく、従業員三〇万の組織で、ニューヨークにも上場している。それだけグローバルな問題であるのに、「今の危機に対処する国際機構は全く不十分である。IMFはこのような状態に対して行使できる権限はないし、G7には参加していない中国やブラジルなどが主要な立役者である世界においては、正当性を欠いている。国際決済銀行には、司法機能はあっても、執行権限も立法権限もない」。

その後、G20の「再誕生」で、少し進歩したとは言えよう。元来、財務大臣や中央銀行総裁たちの会合であったG20が、総理大臣も出るサミットに発展して、G7、G8の存在感がぐっと薄くなった。国連、OECDなど、グローバル化する世界が必要とするグローバルな統治制度の進歩的強化と言えよう（結果として、G7の「世界のエリート国」格を失った日本の外務省が大いに不服を言ったようだが）。

経過は大体こうだった。まず、二〇〇八年年末以降、国際貿易が急激に減り、主要国の実体経済がこのまま不況に向かえば、一九三〇年代の二の舞になるのではないか、という意識が広がった。二〇〇九年四月のロンドンのG20の会合のすぐ後で開かれた、総理大臣たちが集まった特別なサミットで、世界の実体経済の不況への対策で大幅な合意を得た。合意とは、①一九三〇年代の不況を深化させた、保護主義的政策は、ゆくゆくは皆が損をする「自利他貧」（beggar-my-neighbour）的政策にすぎないので、それを避けるべし。②同時に、各国各々が経済刺激政策を実施する、というものである。ニッセイ基礎研究所の矢嶋康次氏が、会議の閉会宣言を次のように要約している。[*86]

二〇一〇年末までに、世界経済の成長率を二％に回復させるために、「あらゆる行動をとる」ことで一致、計五兆ドルの協調した財政出動で世界の成長率を四％分押し上げ、何百万人の雇用の維持・創出を目指すとの決意を示した。

さらに保護主義の拡大を許さない姿勢も強く確認された。新興国や途上国の成長を支援するために、IMFなどの資金力を大幅に強化すること、危機再発を防ぐため金融規制強化でも一致した。

G20前には財政政策、金融規制強化などを巡り米国と欧州諸国、またIMF強化などで新興国と先進国の意見の違いが報じられていたが、結果としては米国が対立よりも協調を重視し、多くの点で「世界協調が演出」できている。

演出者は、議長を務めたイギリスのブラウン首相（および彼を支えた大蔵官僚）だった。当時ブラウン氏の国内の人気はますますなくなっていて、一年後、選挙で敗北するのだが、彼を最も批判したジャーナリストや政治家でさえ、そのロンドン・サミットの議長としてのコンセンサス作りは相当な業績だと認めている。

そして、ほとんど一年の間、保護主義の点で多少「ぶれ」があっても、その合意が大体守られた。

思想的感染

実質的な政策形成を導く議論の中には、課題の国際性が明らかなのに、G20の会場ではなく、主として各国内の閉鎖的な雰囲気の中で行われ、相互に影響を及ぼすものが存在する。グローバルな金融システムを変えるには、G20の合意による勧告もある程度拘束力があるが、それよりも重要な普及のメカニズムは、各国政府の措置が他国の措置のモデルとされることだろう。

しかし、それは相互的、対称的な現象ではない。世銀、IMF、OECDなどの諸理事会の票決メカニズムにおける米国の制度的優位性や、その他の説得手段に加えて、「モデル先進国」としての、アメリカの影響力が大きい。全世界の海外債権（つまり債権者が債務者の国以外の国の国民である貸借関係の総額）の五分の一くらいをアメリカ人が持っていることとも無関係ではない（IMFの計算によると在米国の資本家が一八％を占める。それに、おそらく税逃れの司法政体〔タックス・ヘイブン〕登録の銀行の海外債権シェアの七％の中で、少なくとも半分が在米の主体の所有であるという）。

だから、ドッド＝フランク法は、他国の銀行管理制度への影響力が大きい――一九三三年のグラス＝スティーガル法のように（ちなみに、グラス＝スティーガル法は一三ページ、一方、ドッド＝フランク法は二三〇〇ページある。それだけ世の中が複雑になったわけである）。ぐずぐずしていたヨーロッパに比べてより早く制定されたことも、ドッド＝フランク法の世界全体における影響力を大きくしたもう一つの理由だろう。

したがって、欧州・日本での政策論には、「アメリカでは」という台詞がよく出てくる（日本の場合、「欧米」は、実質的にはアメリカを指す）。しかし、相互関係でない証拠に、米国国会では、「ヨーロッパでは云々」というのはあまり聞かれない。「日本では」が出てくるのは、主として反面教師としてで、「日本のような失われた一〇年にならないように」という具合である。

世界政府へ？

長門の毛利家が甲斐の武田家の制度を真似たり、尾張の織田家が薩摩の島津家の制度を移植したりしたことは、統一の経過に貢献しただろう。ただ、日本が一六世紀の終わりに一つの国になったのは、信長、秀吉、家康の武器による統合と、幕府という統治制度の意識的な創生が決定的だった。

遠い未来の歴史家が人類統合の歴史を振り返って語る場合、ローマ、中国のような地域的帝国を超え、一五世紀の航海術の進歩によって始まる、ヨーロッパを中心とした本格的な全世界の「グローバル化」の過程では、「制度作り」の歴史が中心に置かれるだろう。スペイン、オランダ、イギリス、アメリカの相次ぐ帝国作り――武力による統合――つまり、自国中心の植民地支配による行政技術の蓄積を分析するだろう。台湾総督府民政局長となった後藤新平の伝記や、後に東大総長になった平和主義者矢内原忠雄の『帝国主義下の台湾』(一九二九年)も注目されるだろう。

しかし、別の、人類としてより自慢できるのは、一九世紀以降の、特定分野における国際協力機関の創設だろう。たとえば郵便や、航海規則などが典型的だが、国際条約によって設立され、世界的な行政権を持った国際機関である。時代を反映して郵政のそれは「国際何々」ではなく、今でも「万国郵便連合」と称する。参加国の合議によって運営され、託された行政権を段々に固めることで、グローバルな統治ネットワークの最初の土台石が敷かれてきた。一八七五年からの四半世紀には、そうした国際機関が一二設立された。そして同期間において、グローバルな「市民社会」の構成要素、たとえば、世界外科医協会、愛犬者協会、第一インターナショナル（国際労働者協会）、郵便切手の収集者の協会などが一三〇くらい作られた。[*87]

国際的統治機関の必要性をはっきりと人類に教えたのは第一次世界大戦で、国際労働機関（ＩＬＯ）をはじめ、ヴェルサイユ講和会議の決定によって、新しい機関が作られ、既存の個別な国際機関の大半が国際連盟の傘下に入った。

第二次大戦の終結後、戦争の恐ろしさを再確認し、反省がさらなる組織作りの波をもたらして、今や巨大な組織体となった国連ネットワークが発足した。軍事面で覇権国家アメリカに対してある程度規制を加えることができる安保理事会があり、国連のもう一つの重要な使命である途上国開発には、国連開発計画（ＵＮＤＰ）、国連工業開発機関（ＵＮＩＤＯ）などがある。

ところが金融の面では、過去半世紀の金融グローバル化に影響を与えるほどの強い国際機関はできなかった。貿易インバランスが第二次世界大戦の背景として重要な要素であったから、一九四一年にケインズは、そのインバランスに対応して何とか貿易に均衡をもたらすことができるような行政権を持った国際機関の必要性を訴えた。

ケインズの国際通貨

ケインズおよびアメリカの銀行家ハリー・ホワイトが、戦争中にその新機関の案を練り、一九四四年のブレトン・ウッズ会議に持ってきた。その中軸的要素は、金本位ではなく、新しい国際通貨バンコール（Bancor）の提案であった。ところが、すでに国際貿易システムは金本位から実質的にドル本位になっていた。アメリカの財務省にとって、ケインズのバンコールは脅威だった。ブレトン・ウッズの産物である国際金融機関ＩＭＦは、バンコールとしての存在感のない幽霊、ＳＤＲ（Special Drawing Rights）しか備えない機関である。

以後、国際貿易の主要な通貨、各国の中央銀行の準備外貨は圧倒的にドルになった。

結果として、アメリカ人だけは自分の通貨で海外に対する債務を重ねることができた。この本で度々触れた貿易インバランスで、アメリカは自国の生産量よりも四－五％多く消費して、反面、中国や日本や産油国が自国の生産量より四－五％少なくしか消費せず、膨張する外貨準備を米国国債などに投資し、対米債権を重ねていった。二〇一一年の夏、アメリカ経済が低成長の混乱期に入ろうとしていることが明らかになっても、アメリカの国債も、その他ドル建ての債権も価値を失わない。

その貿易インバランスが災いの元であるということは、リーマン・ショックの何年も前から経済専門家の間では認められていた。金融危機が現に現れた二〇〇八年以後のＧ20会合で「ぜひ直さなければならない欠陥、国際経済制度の欠陥、至急正すべき」問題として論じられていた。二〇一〇年一一月のソウル会議では、金融制度の改善よりも、このインバランスが主題となった。

主題とはなったのだが、依然としてレトリックに終わって、具体的な妙案が出てこない。本物の国際通貨、そして骨のある、存在感のある世界中央銀行というケインズ案をソウルで具体的に提案する者はなかったのだが、ケインズのすばらしい伝記を書いたスキデルスキーが、「今こそ」と、『ファイナンシャル・タイムズ』紙に寄稿している。[*88] 驚くには及ばないが、その構想の支持者が増えている。特に注目されるのは、「新基軸通貨の創設を」という、中国の中央銀行の周小川総裁である。二〇一〇年の演説でケインズ案に返るべしという意見をはっきりと表明した。[*89]

中国にとって、八〇〇〇万ドルにあまる外貨準備のドルの価値が危なっかしくなっており、より確実な通貨でデノミできることに越したことはないのは明らかだ。ただ、ドルが主要な国際通貨であることから、今も大いに恩恵を蒙っているアメリカ人にとって、バンコール復活説はさほど魅力のあるアイデアではない。アメリカの国会議員が非難しているように、「中国が元高政策さえ本気でやってくれれば簡単に解決できる問題じゃないか」と。

軍事防衛圏の争いとともに、国際金融システムの争いも、ますます多面的になる米中対立の長期的要素の一つとなろう。決着は、ケインズ構想のような、本物の国際通貨が生まれ、IMFが、ヨーロッパ中央銀行より強い権限を持つようになるのか、それとも、主要国際通貨の座を徐々にドルが人民元に譲るのか、わからない。次は、二〇一〇年一二月二五日の『日本経済新聞』による。

有力通貨になると見られる人民元

香港では元預金が急増している。一〇月末の残高は前月比四五%増の二一七〇億元（約二兆七〇〇〇億円）で、一年前の三・八倍に。

第3部

3・1——国際協調

ロンドン会議とピッツバーグ会議

「ノー・モア・リーマン・ショック」という、ロンドン・サミットでの威勢のいいスローガンを受けて、各国で数多くの審議会、委員会、調査会が催され、経済専門新聞などは、様々な提案をする寄稿で沸き立った。ロンドン会議で採決された「金融制度強化のために」[*90]という宣言の主要な点が、最終声明でこう要約されている。[*91]

◎金融安定化フォーラムを発展的に解体して、より重要な使命を持つ金融安定理事会（FSB）を設立すること。従来のメンバーの他に、G20のメンバー全員、スペインおよびEUを加える。

◎そのFSBは、IMFと協力して、マクロ経済および金融制度のシステム・リスクを早期に指摘して、警報とともに対策を提案する。

◎各国の金融監督当局が、マクロシステム的なリスクを意識し、計算に入れることができるよう、監督制度を再構築する。

◎システム上重要とされるすべての金融機関、金融商品、金融市場に対して規制や監督を広げること。今まで監督外だった、システム上重要なヘッジファンドも含む。

◎以前、金融安定化フォーラムが提案したように、厳格な給与・報酬の原理を確認、施行して、全法人企業における持続可能な報酬制度の構築、および社会責任感の醸成を推進する。

◎一旦景気回復が確認されている時点で、銀行システムにおける資本の質、量、およびその国際的通用性を改善する措置を取ること。将来、過度のレバレッジを規制し、好景気の時、資本のバッファーを構築しなければならない。

◎タックス・ヘイブン（税金逃れのために存在する金融センター。たとえば、どこの国とも租税条約を結んでいないケイマン諸島）も含めて、非協力的な司法政体への対策を実施すること。我々の財政制度・金融制度を守るために、制裁を実施する用意がある。銀行取引を絶対秘密とする時代は終わった。資料として、ＯＥＣＤのグローバル・フォーラムから、租税条約など租税法目的の透明性と情報交換に関する国際標準への各国の適合の度合いを示す報告が出版されている。

◎監督・規制当局と協力し、企業会計基準を制定する諸団体に対して、特に資産評価および不良債権引当金の扱いを改善し、質の高いグローバルな企業会計基準に到達するよう努力を呼びかける。

◎信用格付け機関が国際的に標準とされる行動を逸脱しないよう、特に許容限度を超えた利害衝突が起こらないよう、登録義務などの規制を加え、監督下に置く。

具体案を練る仕事は、主としてバーゼルの国際決済銀行（BIS）およびそこに事務所を持つ金融安定理事会（FSB）に任された。

続いて、九月のピッツバーグでの会議では、ロンドン会議の協力的雰囲気が維持された。そして、ロンドン・サミットでの中心課題が実体経済の不況対策であったのとは対照的に、以上の最終声明での大まかなアジェンダを受けて、金融制度改革が主要な議題となった。金融安定化フォーラムを拡充した金融安定理事会が設立され（日本のメンバーは財務省、日本銀行および金融庁である）、世界金融制度の改革案が合意に至るまでの交渉カレンダーが、二〇一〇年の一一月のソウル会議までと設定された。議長はイタリアの中央銀行総裁、マリオ・ドラギで、主要なワーキング・グループの委員長は、度々抜本的改革の試案を出して金融業界の恐怖感をかき立てた、イギリスの金融庁（FSA）総裁、アデア・ターナーだった（一九六頁参照）。

下り坂

ところが、そこから話が下り坂になる。二〇〇九年の夏からアメリカなどに景気回復の兆しが現れるにしたがって、ロンドン・サミットの時に達した協力的合意（一斉に刺激対策に踏み出すというもの）が崩れ始めた。二〇一〇年の春にはむしろ、「財政健全化」の声がますます力強く唱えられるようになった。ケインズ派の経済学者による「まだ根を張った回復ではない」との警告が無視された。いくつかの国で国債の残高がGNPの一〇〇%を超え、弱体経済であったギリシア、スペイン、ポルトガル、アイルランドなどが一国ごとに標的にされた。国債の空売りや売り飛ばしの結果、市価が下落して、国債利子率が暴騰し、さらに問題を深刻化した。唯一繁栄していたドイツが、ヨーロッパの弱体経済への救済を出し渋って、これを書いている二〇一一年八月現在、ユーロ共通通貨システム自体が崩壊する可能性が高まっている。

いわゆる「二番底」、世界不況が少なくとも二、三年間深刻化する確率を一〇〇%近くにしているのは、英米の極端な切り詰め政策である――弱いオバマ政権を圧倒するアメリカ共和党、イギリスの保守党のせいである。「政策的間違いを犯した一九九七年の日本の二の舞になるぞ。何より危険なのは恒久的なデフレだ」と主張する経済学者が最近むしろ主流となったにもかかわらず、である。

保守主義的な英『エコノミスト』紙でも、表紙に「日本人化?」という大きな見出しを掲げ、和服姿の「メルケル百合子」と「オバマ太郎」を載せた。

「健全財政第一」への急転換が、ロンドン・サミットの雰囲気からの後退の一つの面である。もう一つは、「自国利益一点張りではもうだめだ。本当に共通の危機である」という認識の蒸発である。そういう認識の崩壊に拍車をかけたのが、二〇〇九年一二月コペンハーゲンで開かれた、温暖化対策をテーマとする国連・気候変動枠組条約の締結国会議(COP15)の混乱と、そこで現れ始めた米中の対立姿勢だった。

ソウル・サミット

一一月のソウル・サミットは金融改革の最終的な指示を設定する予定だったが、その頃特に国際的な話題として優先順位が上がっていたのは、ますます顕著になる貿易インバランスだった。アメリカ国会の中国元の為替レート是正へのクレーム、およびそれに対する中国の冷ややかな姿勢が討論の中心となった。

それでも各国の官僚の地道な努力で、一応金融安定理事会（FSB）の案が論じられ、ある点で決議が採択された。その提案の内容と評価は3・3節に譲るが、まず先にロンドン・サミットで指定されたアジェンダの一点、金融安定化フォーラムが提案した「厳格な給与・報酬の原理を確認、施行して、全法人企業における持続可能な報酬制度の構築、および社会責任感の醸成を推進する」点を取り上げよう。

金融改革の主要な点――銀行の資本率、レバレッジ限度、銀行の役割別の制度、派生商品契約の市場登録、派生商品の内容の規制など――つまり、金融安定理事会の専門家と対抗する銀行とのやりとりは経済専門紙以外ではあまり報道されなかったが、銀行のボーナスの問題は年中見出しを賑わせた。

「せっかくの危機を無駄にしてはいけない」と動き出した人たちの眼中にあったのは、危機をもたらす要因が何かというより、数十年にわたる金融化の結果として、貪欲文化がどんどん普及して、ますます格差を拡大し、社会の連帯を傷つけていたことだった。それらはすでに、指摘した。ともかく、次節で取り上げるボーナスの問題が、金融制度改革で最も情熱を込めて論じられた論点である。

3・2――「適切な」報酬制度

ボーナスはなぜ問題か

近年、欧米の銀行の報酬制度は、給料よりも、「成果主義」に基づくボーナスが中心となってきた。それが大問題とされたのは二つの観点からである。

①金融安定の面：高リスク取引が銀行従業員へのインセンティブとなって、システム破綻の可能性を無限に拡大する（拡大の帰結が先の金融危機であった）。

②社会的公正の面：億ドル、億ポンド単位の年収を取る人が少なくなく、個人の社会への貢献と収入のバランスが常軌を逸している。

大体、投資銀行の「成果」は、トレーダー個人か、その部下によるギャンブル的取引での儲けで測られる。そのため、リスクの大きい商品を作って高値で売り飛ばしたり、高い手数料で取引したりするというインセンティブが強くなる。トレーダー個人には数年にわたる巨大ボーナスの累積があるので、働いている銀行が倒産し、職がなくなっても屁の河童。一生豪勢に暮らせるわけだから、そうしたインセンティブには歯止めがかからない。ボーナス文化は、過度のリスク・テークをそそのかすインセンティブとして、金融を永遠に安定させない、システム上の欠陥である。

日本で「格差問題」といえば、主として、終身雇用の慣習が依然として生きながらえている部門に就職した中流階級と、その部門に入るのに成功しなかったワーキング・プアや、フリーターや長期失業者との格差のことである。以前新聞などで、「高額納税者」の番付表が発表されたが、それは小説家とか、芸能人とか、中小企業で「当たった」企業家とか、土地売買の富豪など、個人に焦点が当たり、階層・階級のような構造的な意義は問われなかった。給料体系の上層部にいる大企業の役員などの報酬が問題視され、給料分布の上位と中位の格差が大きな社会問題とされ出したのはつい最近のことである。『週刊エコノミスト』誌二〇一〇年七月二〇日号の記事がその一例である。

ところが、欧米では、特に英米では、前々から上位が中位から離れていく格差拡大が主たる社会問題となってきた。一方で、政治演説、新聞の社説、テレビ討論などで、「けしからぬ、不条理な社会の病的現象だ」という意見が表明される。他方で、市場原理主義者による「高額報酬は特別な人材の正当な市場価格にすぎない」という効率主義・効用主義的な防衛、「それだけ社会に貢献しているのだから当然だ」という道徳的価値に基づいた防衛、「そんな批判は嫉妬を利用して、ポピュリズムに訴えようとする政治家の偽善にすぎない」という討論戦術に長けた論者の反駁があった。両者の意見の対立は慢性的になっていた。

ただ、金融業、特に銀行・証券会社のボーナスがそのような討論の主たる「場」になったのは、二〇〇〇年代中期の信用バブルで市場の収益が膨張し、経営者やトレーダーが「稼ぐ」ボーナスがそれに比例して爆発的に大きくなってからであった。そして、その膨張した収益が、短期的利益追求の投機的取引の産物にすぎず、バブルを破裂させて世界経済を大混乱状態に陥れたことが明らかになると、世界不況の犠牲者の憤りは頂点に達した。

その不平等は、選挙資金を握っている金融業者などが政治的圧力をかけて、所得税制度に影響し、大いに拡大される。米国の最も有名な、そして最も富裕な、個人投資家――思想的にモノ作り主義者で、ユーモアがあって、社会的公正のセンスもあるウォーレン・バフェットが『ニューヨーク・タイムズ』紙へ寄稿した。[*92]

わが国の指導者は我々に「ともに分かち合う犠牲」を求める。ところが、私の犠牲はいらないらしい。私同様の超富裕層の友人に聞いても、同じだという……。

去年の私の納税額は、社会保障税も含めて、六九〇万ドルだった。相当な額のようだが、私の課税可能総収入のわずか一七・四％にすぎない。私の事務所にいる部下二〇人よりも私が一番低かった。彼らの納税率は、最低三三％、最高四一％であり、平均で三六％だった。

我々富豪族がこうした恩恵を蒙っているのは、ワシントンの政治家によって、絶滅寸前のヒキガエルのように保護されているからである。キャピタル・ゲインの一五％という税率が、投資のインセンティブとして必要だとの理由で。

私は投資家たちとともに六〇年間働いてきた。一九七六―七七年当時、キャピタル・

ゲインの税率が、一五％ではなく、三九・九％だった時でも、税率が高いからといって、投資を渋る人には会ったことがない。

金融ボーナス問題の前史

危機とは別に、一〇年、二〇年前からすでに、特にアングロ・サクソン社会では、金融業ばかりでなく、一般の大企業経営者の報酬がますます上昇していくことが問題とされてきた。米国では、まだ「社会が健全だった」一九六〇年代に、大企業の社長の給料は平均給料の三九倍だった。しかし、二〇〇〇年代になると、最高は五二五倍、不景気が始まった二〇〇七年度でも、三四四倍という水準に達した。[*93] その驚くべき上昇を指摘したクルーグマンは、そうした格差拡大は、市場の働きなど、経済学者が取り扱う概念や法則ではとうてい説明できる現象ではなく、「社会的公正に関する常識の変化」としか思えないと指摘している。[*94]

今でも、米国でよく槍玉に挙げられるのは、雑誌の個人報酬ランキングのナンバーワンあるいはナンバーツーになるウォルト・ディズニー社社長のアイズナー（数年前に、ストック・オプションも含めて五億七五〇〇万ドルという記録的な額を得た）や石油会社オキシデンタルの社長である。ただ、トップ・テンには、銀行やヘッジファンドの人が多く、業界平均で言えば、金融業が圧倒的に強い。そして、経営者報酬の「世間相場」をここ二、三〇年、GNPの成長率をはるかに超える増加率でリードしてきたのが金融業なのである。

金融化がもたらす不平等がいかにして普遍的なものになるか、最近英政府が発表した数字で分かる。それは、民間部門から公共部門にも及んでいる。優秀な人材を確保するため、イギリス官僚の報酬のばらつきは、金融危機後の政府予算の大縮小まで、拡大する一方であった。総理大臣の報酬は、選挙戦政治に規制されて、「成果主義」の要素が一つもなく、一五万ポンド（約二〇〇〇万円）だが、それ以上取っている局長級のイギリス官僚は実に一七〇人もいる。たとえば、日本だったら「内閣官房副長官」に当たる、官僚制度のトップは二四万ポンド。また、キャリヤでなく、民間企業から中途採用された人の中にはそれを超える人もいる。労働省ＩＴ部長は二五万ポンド（約三二〇〇万円）の年収である。[*95]

制裁のないリスク・テーク

先に、他産業と異なった、金融業の報酬制度の特徴として、「成果主義」を徹底するボーナス制度があると指摘したが、もう少し突っ込んでメカニズムを説明してみよう。

アメリカでも、イギリスでも、証券会社や銀行の役員や経営パートナー、そして従業員の中で、証券・デリバティブ取引の優秀なトレーダーや専門的な分野のスターたちの雇用契約によれば、報酬の大きな割合はボーナスとなっている。ボーナスは完全な成果主義だが、企業の成果、部の成果、トレーダー自身の成果の比重は、人によって違う。個人個人のボーナスは、ボーナス総額（プール）が決定されてから明らかになる。この総額は、その四半期の収益とそれに対する「コンプ・レイショ」（報酬率）によって算出される。たとえば、二〇〇九年第2四半期のゴールドマンの収益は約一三八億ドルで、コンプ・レイショは四八・三％と設定されていたので、三万人の従業員の報酬に割り当てられたのは、六六億ドルだった（ゴールドマンに課されたSECの罰金は、このコンプ・レイショを二―三％引き下げれば十分カバーできる額だったので、SECは甘すぎたとする評者もあった）。六六億ドルは、運転手、事務員なども含めて、一人約二〇〇〇万円に当たるが、ボーナスによって年収が億に達したのは、役員、スター・トレーダーなどの二〇〇〇～三〇〇〇人だった。

このシステムが問題とされたのは、例の個人のモラル・ハザード、および「大きすぎて潰せない（Too big to fail）」ということが、今度の金融危機をもたらした大きな要因であったという観点からである。つまり、モラル・ハザードは二重にあった。第一に、個人トレーダーにとって、成果主義のボーナス制度は、リスク・テーク取引をさせるインセンティブでしかなく、過度のリスク・テークに対する制裁・調整のメカニズムがない。賭けに勝てば、ボーナスが膨れ上がり、自分のリスク・テークの失敗で会社が潰れても、何年間も生活に困らない。ウォール街文化というのは、愛社精神などどこ吹く風の、白けた世界でもある。

そして第二に、会社の役員にも、トレーダーのリスク・テーク行動を牽制するインセンティブがないのは、「大きすぎて潰せない」というメカニズムによる。ギャンブルに勝つ度合いが大きい内に、他社より大きく儲ける。失敗しても、国によって公的資金で救われるから倒産の心配がない、というわけだ。

リーマンの場合、「Too big」扱いをされるだろうと思われていたにもかかわらず、実際倒産させたアメリカ当局には、正にモラル・ハザードの治療が必要だという意図が働いていた。しかし、次の日、AIGを倒産させずに存続させたのは、倒産させると、システム全体に混乱を来すという心配のためで、一日で反省したのである。しかし、「遅すぎ」（Too late）た。世界経済を混沌や不安に陥れるには、リーマン・ショックだけで十分だったのである。

とにかく、一日で教訓を汲み、方針を変える弾力性をアメリカ金融当局は持っていた。日本の場合、一九九七年北海道拓殖銀行を倒産させた旧大蔵省の市場原理主義は、六年後りそな銀行のケースでは、方針を変えて、倒産させずに国有化した。方針の転換に六年かかったのである。

永遠の問題

後で説明するように、金融安定理事会など、改革案を練っている当局は、「過度のリスク・テーク→金融危機」の因果関係の対策に集中したのだが、そんなことより、メディアは、ボーナスの額を知って、「言語道断」と怒りをあらわにした。

たとえば、アメリカでは、二〇〇八年当初のパニック状態が退潮して、二〇〇九年の秋頃「回復の兆し」が信じられてくると、失業率がまだ上昇している中で、銀行、証券会社、フアンドだけが、政府の支援のおかげで大変景気がよくなった。年末ボーナス計画が発表され、以前と同様なボーナスが支払われるという。国有化されたイギリスのロイヤル・バンク・オブ・スコットランド（RBS）、アメリカのAIGでさえも。非難の大合唱どころの話ではなかった。「無責任な取引をして、銀行が潰れ、職を失ったはずの連中が、公的資金に救われて、まだ一般の人々が不景気で苦しんでいるにもかかわらず、経営状態がよくなった途端、涼しい顔をして、元通り、億単位の年収を取っているのは何ごとか」と、もう忘れられたかと思ったボーナスの問題が、年末にメディアを賑わせた。

イギリスで特に騒がれたのが、グッドウィン事件だった。RBSは倒産寸前の政府資金の注入で、七〇％国家所有の銀行となっていた。M＆Aで大きな賭けをして失敗し、銀行を三・五兆円もの赤字に陥れて追い出された、頭取のフレッド・グッドウィン卿が、契約上、終身八五〇〇万円の年金を貰うことになっていることが伝わったのである。「私の契約上の当然の権利である。契約を尊重するのが法治国家ではないか」と開き直り、一銭も返上するつもりはないと言い張った。

イギリスでの反応は様々だった。ただ、「労働党政府は、イギリス経済を金融業に特化しようとするあまり、グッドウィンのような人をちやほやしたり、審議会の会長にしたり、卿号を贈ったりしたが、実はこんな鉄面皮な連中だった」というのが大半の意見だった。いくつかその時の声を紹介しよう。

◎世の中が変わったのだ。金融業界が夢のような富への道と思う人は考え直すべし。大学の優秀な卒業生は、別なキャリヤを考えるべきだ。[*96]
◎銀行経営者が、心臓外科医の二〇倍の報酬を当然なこととして、しかもそれを自分で設定できる日は過ぎ去った。[*97]
◎イギリスは、政府による規制を最小限に切り詰めて、世界の金融センターとなり、金融業をイギリスの主要産業とした。報酬を他国よりも抑えて、業績を上げてきた特別な才能を国外に逃がしてしまえば、イギリス経済全体が相当な打撃を受ける。[*98]
◎メディアの騒ぎは、道徳論に基づいた平等主義というよりも、嫉妬に基づくリンチの雰囲気を連想させ、単純なポピュリズムにすぎない……。[*99]
◎報酬構成は、銀行の経営責任者の商業的判断に任せるべきもので、無知な大衆がわめき立てるからといって、それに応じて調整すべきものではない。[*100]
◎後悔や謝罪の時代は終わった。いまや再建だ。政府がボーナスなどに介入するなら、イギリスには投資銀行が一つも残らないことになるぞ。[*101]

「報酬がカットされると、人材が逃げるぞ」とか、「本社をチューリッヒや香港に移すぞ」とかいう脅しが、特に多く使われた。「金融の本場」を誇るシティから、「儲かる産業」として唯一残っている金融業に逃げられるのは避けたい。左右を問わず、イギリスの政治家に対して中々効果的な脅しである。

銀行の報酬体系に変化

ただ、果たして実際的な脅しなのかどうか。『ファイナンシャル・タイムズ』紙のジョン・プレンダー氏が指摘する。[*102] 国有化を完全に避けられたイギリスの唯一の銀行バークレイズは、総資産が香港やシンガポールの年間GDPの約一五倍もある。そんなモンスターを向こうが受け入れるだろうか。バークレイズにとっては、ドッド＝フランク法の規制を回避するのに成功しつつあるアメリカに移るしか選択肢はないだろう。しかし、たとえそうしたとしても、ロンドンに残さざるをえないビジネスはかなり大きいはずだ。だから、脅しに対しては、「そうですか。では、さようなら。お世話になりました」と言っていい。

時々思うのだが、一〇年前の日本で、一生真面目に働いたにもかかわらず、自分の過失ではなく、不景気のための倒産の結果、退職金を全部取り上げられた銀行経営者がいたが、それとの対照がはっきりしている。やはり国柄の違いか。

アメリカでも、ヨーロッパの各国でも、いろいろな対策——ボーナスにかかる特別税、あるいはボーナス総額連結の銀行特別税の導入、報酬体系への監視を要求する会社法の改正や、二—四年間売買できないストック・オプションなど——が試みられた。

どれだけ効果があったかはまだ明らかではない。ただ、銀行の報酬体系に変化が起きていることは間違いない。世界経済が二番底に入ろうとしている二〇一一年の八月現在、危うくなった欧米各国の銀行が人員整理計画を発表すると（八大銀行だけで、合計六万人）、『ファイナンシャル・タイムズ』紙がこう書いた。

解雇が一番多いのは、殺人的に競争が激しい証券セクターにおいてである。規制強化が功を奏したのは主としてそこだ。特に二つの面がある。①報酬体系では、支払いが延期されるボーナスの部分が大きくなったこと（三―四年間売買できない自社株の形でのボーナス）、②リスクの高い取引のための最低自己資本担保規則で、多くの取引が抑止されていること。

結果として、人事の面でも（他でもボーナスが低いので、出て行く人がいなくなった）、給料の面でも（月給の比重拡大。ボーナスは二―三年後の支払い）、銀行経営が窮屈になり、弾力性が失われ、収益も落ちていると評している。対照的にアジアでは、銀行部門の拡大・繁栄によって人材が足りないので、同じ国際銀行の内部でも、アジアのトップの報酬はヨーロッパの同僚より四〇％も高くなっている。[*103]

過剰な報酬――ボーナス騒ぎと公平さの問題

以上、欧米における論議を要約すると、以下のような特徴を指摘できる。

①欧米の論争で共通なのは、経営者やトレーダーの「もってのほかな」報酬が、不平等の甚だしさという点、つまり道徳的不合理さの点で、広くメディアで憤慨の的となっていること

とである。

②ただし、実質的な法的規制となると、報酬構造を格差縮小の方向へ永久に変えるのでなく、目的は、むしろ、

（a）公共の援助に依存している企業の責任者に、国民の血税を費やして多大の報酬を与えるという悪弊に終止符を打つこと。

（b）金融安定のため、過度なリスク・テークを抑止するよう、ボーナス計算のメカニズムを改正すること。

（c）当面の急務は自己資本の再構築であるはずなので、ボーナスに使える余裕があったら、むしろそちらに使うべきこと。

③しかし、オバマは特に、そしてメルケル、サルコジ、キャメロンなどヨーロッパの政治家も、格差の甚だしさに対する憤慨を表明する時でも、嫉妬によるポピュリズムと慎重に一線を画するよう言葉を加減している。オバマはいつか、金融業の高額報酬について、ベースボールの選手や映画俳優のそれを問題にしないのは不合理だと言ったこともある。

④会社法改正という抜本的なアプローチはどこにも見えなかった。後にドッド＝フランク法となった法案が米下院で審議されていた時、ある議員グループが提案したのは、金融業ばかりでなく、すべての大企業で、経営者に従業員の平均給料の三五倍以上の報酬を支払うには、株主総会で賛成六〇％を可決基準とする特別決議を必要とするという修正案を出した。

もちろん、多数の支持を得る見込みは毛頭なかったらしい。

文明社会、福祉、文化の大敵として、アイゼンハワーが最後の演説で指名したのは、「軍産複合体」であった。鳩山内閣、菅内閣がともに倒れても、普天間の海兵隊の飛行機は依然として普天間市民を煩わせている。外務省の役人も、「事故が起こってくれれば」と手を拱いて眺めている。国務省を圧倒する米軍産複合体はまだ健在である。

しかし、軍産複合体に匹敵するもう一つの権力極があり、それが、「金経政複合体（金融資本家・経営者・政治家の複合体）」なのである。

金経政複合体

三木内閣の時代の造語だと思うが、「金権政治」は一九世紀の選挙で露骨に現れ、現代でも民主主義につきものである。もちろん、国によって程度はある。しかし、その「程度」が実に重要なのだ。腐敗度のばらつきでは、米国が極端な位置を占めている。英『エコノミスト』紙によれば、一人五〇万円のディナーなどを通じた、オバマの二〇一二年の再選準備募金の目標額は一〇億ドルである。英国総選挙一回での総支出の、なんと二〇倍である。[*104]

小沢一郎のような政治家の指示を喜んで受ける子分が一〇〇―一五〇人もいるそうだ。イタリアのベルルスコーニ首相がどんなに醜態を見せても、下院の議員は買われっぱなしで、信任投票ではいつも勝利する。クリーンで、ビジョンを持っているように見えたキャメロン英首相が、メディア王におべっかを使っていたことが最近明るみに出た。

ただ、個々の政治家の質の問題でもあり、世紀的な腐敗化傾向が見えるとまでは言いにくい。その代わり、金経政の金経、つまり、個人投資家および金融業経営者が、時代を追って、次第に「道徳音痴」となってきているという説は説得的である。

「今次の危機発生の背景には、市場参加者の慢心・貪欲という問題がある」。日本の金融庁の「金融審議会金融分科会基本問題懇談会」二〇〇九年八月三一日(総選挙の次の日)の議事要旨が言う。たしかにそうだと思う。

イギリスでも同じような判断が普通である。もちろん、金融サービス業界の内部でも。一九六〇年代に、発展するロンドンのユーロマーケット(Euromarket)で活躍していたベテランが、『ファイナンシャル・タイムズ』紙に投稿した。

ユーロマーケットという、世界最大の資本市場が一九六〇年代後半にいよいよロンドンに落ち着いたことを説明する要因はいくつかある。シティの歴史の長さ、法制度のあり方、言語の問題、専門能力の所在、支援サービスなどである。しかし非常に重要な要因は、取引慣習が公平で行動の道徳性も高いというシティの評判だった。当時は、ほとんどOTC(オーバー・ザ・カウンター)取引で、統制外のグローバルな当事者間取引だったから、何よりも信頼、信用が第一だった。

近年、卸金融サービス業での取引行動が、そうした信用を失う結果になったことは否めない。その道徳的・文化的退廃はシティの国際的評判に傷をつけたばかりではなく、国内政治への影響も大きい。もしシティの道徳的評判が確固たるものだったら、報酬問題についての議論は今のように感情的で激烈なものにならなかったはずだ。[*105]

アメリカ財界の大物が二〇〇九年六月に、数年前のエンロンやワールド・コムのスキャンダルとの連続性を指摘しつつ、『ファイナンシャル・タイムズ』紙への寄稿「オバマの急務——経営者の貪欲に規制を」の中でこう書いた。[*106]

もはや明らかになったのは、経営者の法外な報酬が、ビジネス犯罪、不正行為の根本的原因であり、雇用拡大や従業員給料の水準引き上げに対し米国経営陣の関心が薄いことの原因であり、最近の莫大な金融的損失の原因でもある。この極端な報酬の格差は、もはやただ道徳的に「ばつが悪い」と片付けられる段階を通り過ぎた。三〇年来、わが国経済の肉を蝕んできた繁殖する黴菌である。

まだ「日本型資本主義」と言えるか

その点、日本はどうかというと、——私に言わせれば、めでたくも——昔のイギリス、つまり一九八〇年以前のイギリスの状態である。金融担当大臣として、財界の「目の敵」役だった亀井静香の政治的寿命はどれほどか。たとえば、金融審議会の構成を見てみよう。自民党時代に任命されて、新政権になっても再構成がなく、招集されたこともない。二〇〇九年後半期で唯一活躍していたのは、金融審議会金融分科会基本問題懇談会で、その構成は象徴的だ。田中直毅を懇談会長とし、住友商事および野村ホールディングスの二人以外に、後の七人は、研究所の研究者一人、大学教授六人である。審議会の学者は皆「御用」学者という非難もあるのだが、問題は国民の「御用」なのか、証券業界、銀行業界の「御用」なのかである。二〇〇九年一二月に出された懇談会報告書については、後で触れる。

日本では、たしかに厚生労働省の調査で見ても、金融業の雇用者は、たとえば製造業に比べて、給料が高い。年齢層ごとの差を単純平均すると、二三％高い。[*107] 都銀の頭取なら、年収三〇〇〇万円というのは常識のようだが、前からそうであって、特に非難の対象にはならないようだ。あるブログが、[*108]「この不景気に大手銀行の役員報酬は三〇〇〇万円もあるそうですが、税金で公的資金を注入していた企業をなぜそこまで厚遇するのでしょうか？　株主や預金者がそれを知ったら怒らないのでしょうか？」との質問を出した。返事は全部、そうしなければ優秀な人が来ないとか、部長は一八〇〇万くらいだから妥当だろうなどと現状肯定的なものだった（とりわけマネーに興味を持っている読者だけが集まるブログだったのだろうが）。

しかし、日本の大手銀行は金融技術が「遅れ」ていて、アメリカやイギリスの銀行のように金融バブルの破裂でさほどひどい状態にならなかったが、英米で起きていることから教訓を汲むべきだったと思う。私の印象では、二〇一一年になっても、金融界のトップの人たちにとっても、財務省、金融庁の役人にとっても、「進歩」とは、より「進んだ」アメリカ・

モデルに近づくことだという先入観は、二〇〇七年当時と変わらない。リーマンのアジア部を買った野村ホールディングスは、リーマンの報酬体系を日本に合わせるのではなく、逆に全社をリーマンのような体系に合わせようとしているそうだ。

あるブロガーが書いている。「なお、銀行にあって異色な職種に、ディーラー、トレーダーがいる。彼らは、頭取よりも高給取りで知られ、ディールの成績如何で三〇代で五〇〇〇万円以上の年収を得るものもいる。そんな彼らは、外資系投資銀行へと華麗な転身を見せたりする自由人」[*109]であって、多くの若者のあこがれの的となる人たちである。

若者たちの夢は実現するのか。今後来るだろう不況が、二〇〇八年の不況が与えなかったようなショックを与え、日本のエリートが「進歩」を考え直すことになるのか。二〇一一年現在、私には予言ができない。

3・3――現状維持に終わる金融改革

改革論争の主なテーマ、主な当事者

バーゼルの国際決済銀行が、毎年一回世界の主要な中央銀行総裁の会議を催す慣習が何年も前からある。普段は、事前に議題を発表することもなく、高級親睦会のようなものであったが、二〇一〇年の一月の会議の場合、招集の動機が招待状にはっきりと説明されていた。「金融業企業が、先年の危機の前に見られた侵略的行動(aggressive behavior)と同様な行動に戻りつつある」事情が赤信号であるというのだ。[*110]

リーマン・ショック以来、勇ましく唱えられてきた「金融改革」の試みのほとんどがまだ功を奏していないことの一つの兆候である。

二〇一〇年七月、ロンドン大学政治経済学院(LSE)が刊行した『金融制度の将来』[*111]は、ロンドンの識者を集めた定期的な研究会のペーパーを編集した本である。その序文には、著者たちの理解する「金融制度改革」の趣旨がこう述べられている。

金融改革の目的は四つある。まず、近年のように、金融システムが実体経済を攪乱することがないようにすること。(それと密接な関係にあるのだが)第二には破綻する金融機関の救済コストが一般納税者の重い負担とならないこと。そして第三は、国民所得にお

ける金融業および金融業雇用者の分け前――金融業の国民経済に貢献するサービスとは無関係に高い分け前――を低減させること、そして第四に、分け前調整によって、他の部門でより社会に貢献しうる人材が金融業界に吸収される現状を変えていくこと。うまく要約している。しかし、突き詰めて言えば、この四点は二つにまとめられる。一つが、金融システムの効率（コスト縮小を含めた効率）の問題、もう一つが、社会的公正の問題である。議論の「場」は、普段から「金融安定」を使命とする各種の会議である。しかし、両方の関心が交差し、各国の国会や国内・国際の審議会で白熱する議論が行われるものの、政府の措置は一貫性を欠くことが多い。四つの目的を一つずつ吟味しよう。

第一の問題については、「銀行業の基本的な機能は商取引をスムーズにしたり、融資供給システムを整備したりして、経済の他部門の順調な成長を確保することである」という「国益論」と、「銀行は株主や従業員の利益・所得を最大化するために存在するもので、それに専念さえしてくれるならば、スミスが言う『見えざる手』の働きによって、社会福祉に最大貢献できる」という「市場競争論」との衝突が、基調的な対立であった。

前者の立場は学者、中央銀行経営者の一部、金融規制を仕事とする金融庁などの役人の一部であって、後者の陣営には、銀行経営者のほとんど全員および一部の学者、役人および銀行業者と関係の深い政治家がいる。

第二の問題についてだが、二〇〇八年のように、銀行の破綻、公的資金の注入、景気の急激な悪化という場面が繰り返されないようにするべきだ、ということには誰も異論を立てない。対立点は、もう二度と繰り返されないための方法についてである。結局は、金融規制の必要性、有用性についての対立である。一方に、「余計な介入をしなければ、自由市場競争下の金融制度は、自動制御のシステムである」という楽観論があり（たとえば、一九九六年からFRB議長グリーンスパン氏が繰り返し主張したような）[*112]、他方に、規制をせずに放っておけば、危機サイクルは必ず繰り返されるという「必然的循環論」がある。

必然的循環とはすなわち、「順調な経済成長が二、三年続く」→「成長期待が一般的に上昇する」→「銀行がレバレッジ率を高め、信用が拡大する」→「借りて買う人が多くなり、資産の価格が徐々に上がる」→「将来の資産価格上昇を見込んで資産購入への投機的投資が増える」→「資産価格上昇が加速され、バブルだ、という分析、意識、期待が広がる」→「十分普及したら、賢明な人が、低質の資産から、売り始める」→「群集本能が支配するようになり、資産売りの勢いが、低質の資産から高質の資産へ、投機家からまともな投資家へと進む」→「パニック、債務デフォルト、貸しはがし、大量倒産」→「資産の大損失、成長率が急激に悪くなる」というものである。

二〇一〇年の春以降の経済書ベスト・セラーに、カーメン・ラインハート、ケネス・ロゴフの共著『国家は破綻する』があった。[*113]市場・自由交換の社会が現れてから何回も繰り返された、以上のようなサイクルについて様々な例を挙げている。後で「原点」と判断される刺激——新技術の導入や天災の後の原産物の高騰など、——は様々だが、一貫して重要な要因は人間のギャンブルの本能、および群集本能であると言い、説得力がある。

第三点については、すでに詳しく述べた。公平さの問題と金融安定の問題が最も交差しやすい点である。闘士および当事者は、もちろん、「自分の高額報酬を守ろうとする銀行業関係者」対「メディア、公共部門の役員・公共団体指導層」だが、イギリスの場合、「銀行は儲けすぎている」という同じような対立が、製造業など、事業会社部門の経営者と銀行業の経営層との間では、そう目立たない。銀行の「儲けすぎ」イコール事業会社の損であるという事実はかなり明らかなのに、対立がないのは一見不思議に思える。しかし、さほど驚くことではない。米国・英国の社長たちの平均報酬が年々一五—二〇％上がるという傾向は銀行業だけの話ではない。銀行業がリードはしていても、メーカーの大企業もついていく。英語圏経営層の報酬システム水準には、業種を超えて「世間相場」効果が影響を及ぼしている。金融以外の経営者たちが、「銀行の過大報酬云々」を言うならば、自分たちの立場もぐらつく。サルの尻笑いみたいになるのである。

第四の点、人材の社会的配分については、対立の形が明瞭である。「我々金融業者の仕事は、大変マスターしにくい知識・技術を利用して、勤めている会社の繁栄にも、社会の福祉にも最大の貢献をしているから、世の最も優秀な人が金融業で働きたいというのは当たり前で、市場原理が人的資源の『適材適所』を確保する制度として最も優れている証拠でもある」と堂々と論じる人もいる。実際そうした人がいるばかりではなく、多くの国で彼らは社会通念の形成に相当な影響を持っている。

他方、「社会奉仕」や「清貧」を誇りとする人もいる。「偽善」や「一人よがり」が多少混じっていたとしても、昔は、「公共精神」が重要視され、医者、官僚、教育者などの道を選ぶ人が、特に英語圏の社会では、尊敬されていた。ところが、（日本の場合は、特に与野党の「官僚バッシング」競争が始まって以来）そうした過去の社会へのノスタルジーを感ずる人は少なくなってしまった。

道徳問題

その利害関係や、思想的立場や、現状認識などの相違を超え、「二一世紀の人類の基本的心理構造」についての認識の違いも、「金融改革論」の重要な軸である。

一方に、人間の「合理性」および「利害意識」（利益欲）を当てにして、制度的インセンティブの改変によって、社会的に望ましい方向へ人間の行動を指導することができるという前提に立つ人がいる（たとえば、リスクの高いギャンブルの取引では、今までの「勝てば大ボーナス、負ければ元の木阿弥」というルールから、「負ければ、本人の報酬カット」というルールに変える）。

他方に、土壇場になれば、「合理性」ばかりが問題ではない、行動経済学者が指摘するように、そして、二〇〇八—〇九年の出来事が示したように、近視眼（myopia）、根拠なき熱狂（irrational exuberance）、群集本能（herd instinct）が重要な役割を果たすという前提に立つ人もいる。[*114]

行動主体である各々の組織の指導者や成員の改変さえうまくできるなら、問題は解決されるという考えと、「近視眼」、群集本能云々のムードが元々醸成しないよう、あるいは、起こっても実体経済へのダメージを最低限に抑えられるよう、システム全体をマクロ的に考え直すべきだという考えとの対立になる。つまり、ミクロとマクロの違いである。

もう一つの次元、つまり金融エリートの「道徳的常識」とでも呼べる変数もある。「近視眼云々」の源泉である「欲」およびそれに対する抗生剤である「責任感」のバランスがそれである。3・2節で述べたフレッド・グッドウィン卿の話、それと日本の銀行頭取たちの退職金返上との対照を見れば分かるだろう。

その「道徳的常識」をどう変えるか。私は、江戸時代の荻生徂徠の道学者批判を思い出す。室鳩巣などの朱子学者が、講釈というお説教で、一人一人に「道」を教え、よって世の中をよくしようとしているのは、まるで杵で搗く代わりに、玄米の種皮を一粒ずつ剝ぎ取るようなものだ。必要なのは講釈ではなくて、「制度改良」——為政者が制定する法律の改変——で人々の行動をいい方向に規制することだと荻生徂徠は主張した。

とにかく、G20の宣言には鳩巣まがいの道学者的な口調が時々見えたとしても、以下に述べる、バーゼルでの討論の参加者はほとんど、「制度」を問題とする徂徠派だった。

改革論争の主要な場

こうした対立が各分野の制度改革案にどのように現れたか、いくつかの主要テーマについて、その議論がどうであったかを概略的に見渡すのが、この3・3節の目的である。すでに指摘したように（3・1節）、ショック、恐怖、改革熱のために、二〇〇八年に勢いよく始まった金融改革案の議論は、反対にあったり邪魔されたりして、少しずつ勢いを失いがちだったのではあるが。

具体案を練り、真面目に働き続けたのは、バーゼルの金融安定理事会（FSB）だった。予定通り、二〇一〇年一一月のG20ソウル・サミットに、なるべく総合的な制度変革案、新規制度のプランを提出するためだった。

プラン、ガイドライン、指針などとは言うものの、G20にせよ、国際決済銀行にせよ、国際ルールを「制定」する権限はない。できるのは、個別国家が制定しているか、制定しようとしている諸制度の中で、どれが最も望ましいかについて国際的なコンセンサスを作り、なるべく多くの国に「それに則って制度改革をやり遂げます」と、共同宣言のような形で表明させることである。言を俟たないが、それは「最悪へのレース」を止めることが目的である。各々の国家は、成長率最大化、国庫収入最大化を目的に、「規制緩和、規制廃止」の起業家誘導競争をしがちだが、それを抑制する、できればなくす試みなのである。

二〇一〇年一一月のソウルG20会議の開会の時に正式に発表された「金融規制改革の進展に関するG20指導者への金融安定理事会の書簡(FSB letter to G20 Leaders on Progress of Financial Regulatory Reforms)」と、それを受けて、G20会議で是とされ、推進された事項を集めた「最終宣言」[*115]が、ここでの主な資料となる。

宣言、ガイドライン、大義名分

二〇一〇年一一月会合の最終宣言を読んで、ウンザリする人は多いだろう。あまりにも抽象的な「美辞麗句」でしかない部分が多い。冒頭に、二〇〇九年四月のロンドンの会合が、珍しくも、主要国にはっきりした政策転換をもたらし、世界経済に好結果をもたらしたことを記す。「我々が決めた財政的、金融政策的刺激プランは未曽有のもので、高度なレベルで噛み合った政策選択であっただけに、グローバル経済が陥りそうだった不況状態からそれを引き戻した」[*116]。

ただし、それ以後の部分はさほど明確ではない。

G7がG20に発展したのは、国際的コンセンサス構築の観点から、あるいは遠い将来の世界政府の土台作りの観点から言えばいいこともあったろうが、サミット最終宣言としては悪い方に出た。元々、G7だった時も、七か国の官僚主義的官僚が練った「最終宣言」の文章は、大義名分の羅列になりがちだった。今度のソウルの場合、草案作成に参加を求めた官僚の数が三倍になって、小国でも各々自国の存在感を感じさせたいところだったが、結果はやはり空虚な大義名分の羅列に終わった。

一例を挙げれば、第55パラグラフがそうである。日本で「格差社会」という言葉が一般化したように、英語やヨーロッパの諸国語で貧富の二極化、社会連帯の崩壊を指すのに「Social exclusion（社会から排除・疎外される現象）」という表現が一般になった。第55パラグラフは、「金融的排除」という概念を使っている。金を儲けることも、借りることもできない人を指すのだが、新語かと思ったら、一〇年も前に本の題になっている。[*117] 以下に、第55パラグラフを引用するが、何ら具体的な意味もなく、ただ金融的排除現象が遺憾であるということを表現しているにすぎない。

55——金融的排除現象をなくすための我々のコミットは依然として強い。金融へのアクセスをより簡単にすることが、貧しい人の生活改善にも、中小企業の経済開発への貢献にも好影響を与えうることを認める。

原理、理想を確認して主張するのも、国際機関の重要な役割かもしれない。英『エコノミスト』紙の編集者として名高いウォルター・バジョットの一世紀半前の言葉で、政治学の用語としてその後頻繁に使われている概念を思い出す。曰く、あらゆる政治制度は、「効率性が求められる実践の部分」と、「大衆に崇敬の念を起こさせる部分（dignified parts〔尊厳の部分、高貴の部分、権威的部分と、和訳は様々だが）」の両方を備えていなければならない。[*118] 例の「宣言」のほとんど無意味な抽象的部分は、G20の仕事の「dignified parts」の表明として許容しよう。

G20の「実践的」提案

さて、金融安定理事会の試案を受け、G20が二〇一〇年一一月の会合で合意に至った最も重要な四つのテーマについて、それぞれの議論とその結論をまとめてみよう。

①銀行の規制――資本／資産率、レバレッジ率、事業範囲制限、大きさ（総資産量）の制限など

②派生商品契約の市場登録の義務

③格付け会社の公共性

④新技術・新商品の導入にあたって、「社会的有用性」基準適応の可能性・正当性

先に引用した金融安定理事会の「書簡」は、手放しに褒められたものでもないのだが、二年間の努力の結果として、見下すべきものでもない。改革推進者と金融業代表の長期間にわたる腕相撲の跡がまざまざと見える。共通の課題と言えるのは、「金融安定理事会」という組織自体の名前で謳っているように、（a）「金融安定」であって、加えて（b）「安定・不安定は別として、銀行や証券会社が破綻しても、システム上混乱を来さず、公的資金注入を

必要としない倒産処理の方法」をどう作るかである。

当然だろう。世界の銀行への（国家補償も含めての）公的資金注入総額は八〇〇〇兆ドルと推計されているからである。それだけの「富」を無駄にした世界にとって、これらを第一課題にするのは当然だ。

銀行の規制——メタボ銀行をどうするか

市場の原理で生き、儲けている企業なら、市場原理ゆえの破綻に陥れば、それで死ぬべし。そうした可能性がつねにあることを意識して、経営者は慎重に経営すべきだ。そうでなければ、「市場の原理」はナンセンスである。

二〇〇八年九月、リーマンが危ない、倒産の可能性ありという噂が立った週末、慌てて集まった米国政府・金融当局の日曜緊急会談の結論がこれだった。前述のように、リーマン倒産の余波が現れ始めた次の日、同じメンバーは、AIGには救いの手を差し伸べざるをえないと判断した。AIGは「大きすぎて潰せない（Too big to fail）」とされたのである。この判断の弊害は二つある。

何度も繰り返すが、①モラル・ハザード——当該銀行の取引規模が、金融システム全体が崩壊しうるほど大きい場合、「破綻しそうになったら、政府が介入して救ってくれるだろう」という計算が銀行の経営層の常識になってしまう。よって、無責任で、過度に冒険的なリスクを伴う取引に手を染める誘惑に駆られ、システム崩壊の確率を高くする。自己達成的予言(Self-fulfilling prophecy)である。

②貸借市場での競争の歪み――「Too big」とされるだろう銀行は、そう判断されそうにない小規模な銀行と競争をしている。前者は、暗黙の「政府介入保障」のおかげで、より低い利率で金を貸すことができる。一番しっかりした債務者を選べるわけで、貸借事業から一番高い利益を得ることができるのだ。現在、たとえばイギリスにおいて、大銀行がそのような「政府保障」のおかげで手にしている推定過剰利益は、実に一〇〇〇万ポンドに上る(イギリスの医療制度、NHSの総コストと同等)。

こういう状況は、結局銀行の肥大化傾向の結果でもあり、肥大化傾向を加速する原因でもある。その傾向に歯止めをかけ、銀行の大きさに制限を加えるべきかどうかというのが一つの中心的問題である。具体的にどう実現するか、とか、「Too Big」はどのくらいの大きさなのか、とか難題が多い。リーマンの崩壊がシステム全体を混乱に陥れたことはすでに歴史的事実なのだが、倒産当時の総資産は六三九〇億ドルで負債が六一三〇億ドルだった。(当時の為替で約六三兆九〇〇〇億円と六一兆三〇〇〇億円、資産額は、みずほ銀行と同程度で、三菱UFJフィナンシャル・グループの約三分の一)。リーマン倒産のショックで、世界の株式市場の時価総額の暴落は、次の一か月で約一〇兆ドル(一〇〇〇兆円)となった。つまり証券の「価値破壊」は日本の一年間の総生産の約二倍だった。

もし、リーマンの資産規模が六〇〇〇億ドルもなく、半分の三〇〇〇億ドルだったら、パニックが起きなかっただろうなどと、誰が言えようか。先に論じたように、パニックというのは、合理的計算以外の、近視眼、群集本能がもたらす現象だから、「倒産しても影響があまりない規模」など測れない。資産総額や取引残高の「規模」ばかりでなく、損失を埋めるために準備している「資本」の質も大事である。土地のような、査定価値が急速には失われない資産と、「毒化」して反故同然のようになる債権や証券との違いは大きい。また、「規模」や「質」以外にも、債権契約の相手先が集中しているか、分散しているか、投機的であるか、より確実性があるか、などでもシステムへの影響の度合いが違ってくる。つまり、「not too big」は規定しにくいのである。

国家の監督機能強化

金融安定理事会は、国際決済銀行（ＢＩＳ）およびその姉妹機関である、バーゼル銀行監督委員会（ＢＣＢＳ、主要国の銀行管理者からなる、銀行の自己資本最低率などのルールを制定・管理する機関）と一緒に働いて、以前から最低自己資本の基準を設定している。一九六八年のバーゼルⅠ、二〇〇四年のバーゼルⅡである。それに次いで、これから実施されようとするバーゼルⅢのルールは二〇一〇年の九月に制定された。

「今日のリーマンは処置なし、明日のＡＩＧは救うべし」という、原理がなく、結果予側も困難な、その場しのぎ政策でしかない現状に代えて、新しい制度は、国家の監督機能をより強めるものである。その特徴が四点ある。

①国際的に活躍する銀行の流動性比率（資本・リスク加重資産比率〔Capital to Risk-Weighted Assets Ratio〕）を二％から七％に上げる。しかも、「資本」の定義も、分母となる「資産」のリスク評価も厳しくする。

②あるメタボ銀行を「システム上重要な金融機関」（Systemically Important Financial Institutions: SIFIs〔「シフィーズ」と読む〕）と指定できるようにする。そしてその中でジー・シフィーズ（G-SIFIs〔GはGlobalの略〕）という、「グローバルな次元でシステム上重要な」、より少数の銀行の類型も作る。「巨大さ、取引関係の深さや複雑さのため、その秩序なき倒産が世界経済を著しく害しうる」という基準を各国が法律で細かく規定する。この「類型化」のための準備期間を二〇一三年までとしている。該当するのは、ノン・バンク、ヘッジファンドなども含めた三〇個くらいのグローバル金融機関になる計算である。

③シフィーズ（いわんやジー・シフィーズ）と指定された銀行に対して、世界の銀行の国際基準となるべきバーゼルⅢの規定より厳しく、量・質とも資本装備率、資産流動性率、レバレッジの最高限度などを規制する。そして、資本準備以外に、公的資金の注入を必要としない「倒産・解散プラン」（「生前遺言」とすぐあだ名がついた）を管理当局に届け出させる。今まで、銀行の国家救済の時、「聖域」とされてきた銀行債の所有者の権利にも侵入し、損す

るのは株主ばかりでなくて、債権者にもあえて「貢献」を求めるルールを入れるべきとする（債権者へア・カット〔散髪〕と俗に言う）。今まではドイツだけが強く求めてきたことである。こうすると、資産の価値が落ち、資本調達はもっと難しくなるのだが、特にボーナス問題をめぐって、「公平さ」に訴える反銀行ムードが先進国全体で拡大したことを反映している。グローバル銀行の場合（たとえばA国に本店があって、B国で大事業を展開しているような場合に備えて）、各国の倒産処理制度をできるだけ国際的に統一する。

④シフィーズばかりでなく、普通の銀行にも「プロシクリカリティ（景気循環増幅効果）」防止の規定を要求する。今度の金融危機で、銀行の自己救済行為が景気を大いに悪化させた経験に基づく案である。その折、景気が悪化し始めると、銀行はすでにあった、あるいは将来生じるだろう不良債権による損失に備えて、準備金を当てなければならなくなる。それだけ自己資本を取り崩すのだが、そうすると、法的な自己資本比率に満たない心配が出てくるので、（a）貸付がごく慎重になって、貸し渋りや貸しはがしで景気の悪化を加速させる。さらに、（b）銀行の損金が多くなると、穴を埋めるために資産の一部を売って現金にしようとする。CDOなど信用商品を銀行が一斉に売り出すと、その価格が落ちて、二〇〇八年の秋のように、スパイラル降下をして、信用資産が反故同然になり、パニックとなる。結果として、景気がさらに深刻になるばかりでなく、銀行の債務・資産率が悪化して、倒産の危機に直面する。

その二の舞にならないよう、金融安定理事会が提案する「景気循環増幅効果」防止とは、景気の変動に応じて、最低資本比率の規定を上下させることである。景気のいい時に資本比率を高くして、流動性の高い資本を蓄積させ、不景気になれば、流動性資本を適当に減らしても危なくない程度に資本比率を下げる、という仕組みである。自己資本を好況時に厚く積み、不況時にはそれを取り崩しても大丈夫なようにする。法的自己資本比率を景気循環と(逆)連結するような行動を銀行に求めるわけである。

自己資本比率

そこで、積極的銀行管理が必要となってくる。小泉・竹中体制の「自己責任、事後チェック」一点張りは十分ではない。つまり、「一旦制定すれば、金融安定を永遠に保証する最適なルールがありうると信じるのは間違いであって、管理当局の政策は、サイクルを追って変動する裁量的なものでなければならない」[*119]。

提案されている新制度、制度強化措置の仔細は、各国が別々に法律で制定するとされている。自己資本比率七%が大体コンセンサスであるが、いわゆる「タカ派」からは、「手ぬるい」という声も大いに出ている。そうした立場を強固に取るのが、金融安定理事会「国際協力小委員会」の会長アデア・ターナーである。二〇一一年二月の講演で、バーゼル以前、イギリス経済にかなり活気があり、より成長率が高かった一九六〇―七〇年代には、イギリス市銀の平均レバレッジ率は一五―二〇倍であった。初めて、三五倍に狂騰したのが二〇〇〇年代後半だったという歴史的経験に訴えながら、イギリス銀行のMPC（金融政策委員会）のメンバーであるマイルズ氏の金融経済理論を引用している。マイルズ論文の趣旨は、資本比率の最適水準は七％ではなく、二〇％であって、そこまで上げれば、中長期において資本コストが下がる効果があるというものである。[*120]

イギリスの銀行論の雰囲気は、アメリカのそれとは大分違う。[*121] 二〇％理想論を書いたのは、前述のように、イギリス銀行の金融政策委員会のメンバーであった。米国では、金融政策の三羽烏、ガイトナー財務長官、バーナンキ連邦準備制度理事会議長、メアリー・シャピロ米国証券取引委員会委員長は時々、漠然と自己資本比率を高める必要があると言いながら、銀行界の圧力に応じて、資本ベース強化に使える金を、一時中止された配当の再開や経営者の高額報酬に使うことを承認した。たとえば、国有化された住宅ローン機関のファニー・メイとフレディ・マックの場合、国有化された二〇〇八年九月からの二年間で――両機関が公的資金一兆五三〇〇億ドルを注入された二年間で――両長官二人の年俸は実に合計一七〇〇万ドル（一五億円以上）だった。[*122]

ともかく、依然として国際決済銀行、金融安定理事会などで一番押しが利くのはアメリカであるだけに、自己資本比率二〇％を推薦することは考えられない。七％で妥協させるのが精々のところだったろう。ターナーが言う。「今日の金融監督者は、いわば半世紀も続いた政策的勘違いの継承者である。半世紀の間、徐々に民間部門の銀行のレバレッジ率を上げ、利益を拡大する自由を与えてきた。その背景には、個々の銀行や企業家の私的費用・収益率のバランスと社会的費用・収益率も計算に入れた社会最適性の間できちんとした区別ができなかったという、理論的知性の欠如があった」[*123]。

私的費用・収益率と社会的費用・収益率の違いが特に重要になってくるのは、一般企業が資金調達をする時である。二つの選択肢がある。銀行から借り入れれば、利子が「費用」として無税になる。ところが、自己資本増資で普通株を発行し、自由に使える金を調達すれば、必要配当の総額がかさみ、より高い利益を上げなければならず、その利益に比例した法人税もかかる。個々の企業には前者がましのように見える。ところが、公益の観点から言うと、金融資源のコストおよびGNPへの貢献のバランスではどの道同じである。

自己資本比率を厳しくしなければ、また二〇〇八年の二の舞になるぞというタカ派に対して、慎重なハト派（日本の代表も含めて）の最も説得力ある論法は、そういうミクロの計算ではなく、マクロの計算に訴えるものである。世界経済がいよいよ景気回復に向かいそうな時に、成長の芽を摘むような政策は一切避けるべきだ。比率に合うよう、利益をすべて資本の蓄積に回したら、（特に中小企業に対しての）貸し渋りや貸しはがしがどうしても多くなり、経済が活気を失う、というものである。

イギリスでは一時、金融当局と銀行界がメディア戦争を繰り広げていたが、二〇一一年二月末、一応「休戦」の合意に至った。英財務省と四大銀行との間のマーリン協定（Project Merlin）である。[*124] 管理当局が規制強化に手心を加える代わりに、銀行は中小企業への貸し出しを増やすというものだった。ところが、一か月も経たない内に、イングランド銀行総裁がグラス＝スティーガル法の制定を強く主張したのがきっかけで、銀行側が合意を破棄しそうになった。[*125] ともあれ、ボーナスに関する自己規制の目処は立っていないが、二〇一一年八月末現在、貸付額だけは目標の二〇〇〇億ポンドに近づいている。

金銭的インセンティブにとって代わるもの

そのような雰囲気だったので、バーゼルで自己資本比率七％という合意に至ったのもかなりの成功といえるだろう。ただ、金融界の最後の抵抗なのか、金融安定に対する危機意識の欠如のせいなのか、官僚生来の腰の重さを勘案してなのか、金融安定理事会が提案して、G20が合意したアジェンダによると、各国の法律制定過程を二〇一三年までとし、七％の基礎率がいよいよ施行されるのは二〇一九年とされている。

二〇二〇年代は自己資本比率などが厳しくなって、金融安定の時代になるのかどうか。すでに銀行を飼いならす方向へ動いている国もある。アイルランドは信用を失った銀行制度の回復を図って、「現在は、最優良資本の対資産率一〇・五％を要求し、将来は一二％に引き上げる」と発表した。スペインもスイスも資本率を高め、信用を失わなかったスウェーデン政府は、今の健全な状態を堅固なものにするため、銀行の自己資本比率を一〇－一二％に引き上げると発表した。

果たして、こうした制度の改変で十分だろうか。金銭的インセンティブにとって代わるためには、「社会のため」が力を持つ可能性がなければ、問題の解決にはならないだろう。モラル・ハザードをなくすには、銀行経営者の責任感、公共精神に訴えて、彼らの自己規制を期待できなければ、本当の金融安定は望めないとする人もいる。

日本やフランスやドイツならまだそのような「道徳的雰囲気」を多少期待できても、アングロ・サクソン文化では、そんな精神的治療は夢物語にすぎないと思われている。バーゼルでの議論も、「白けた人間」を想定して進められている。英米銀行界の人間の行動を規制しようと思うなら、インセンティブとして個人の金銭的利害しか使えないという前提でいる人が、金融改革提唱者の中にも多い。

様々ある案の中で、米国連邦準備制度理事会理事の一人、ダニエル・タルーロ教授の案はそうである。[*126] 彼によれば、以上のような規制を設けても、やはり政府が救済せざるをえない場合が出てくるのは必然的である。ただそうである内は、銀行経営者の暢気さ、モラル・ハザードはなくならない。より賢明なのは、シフィーズ破綻の場合の政府による救済を前もって保障しておき、その保障の見返りとして、経営者の報酬にかなり厳しいキャップをかぶせることである、と言うのだ。

大切なのは、これまで度々触れてきたが、四つ目の「人材独占」問題に関わる提案だ。メタボ銀行は、大きいために暗黙の政府保障を受けているわけだから、そのスケール・メリットゆえに利益も大きく、報酬が天文学的に膨れ上がっている。結果として、優秀な「特殊な人材」がそこに集中し、ますます比較優位となっている。こうして、再生させなければならないシステムの欠陥が温存されることになる。ところが、シフィーズ、つまり「システム上重要な金融機関」という指定を受けることが報酬制限を意味するなら、優秀なタレントはそういう銀行を避けて、より小さな銀行に就職するようになるだろう。するとメタボ銀行の問題が自然に解決するかもしれない。いい案だとは思うが、バーゼルで取り上げられている気配はない。

金融業内部の分業強制

巨大さとも関連するのだが、米国で一九三三年に制定され、クリントン政権の時に、廃止されたグラス＝スティーガル法の復活が改革案の一つの重要な点であった。グラス＝スティーガル法の規制——預金を預かり、実体経済の商取引を裏付ける活動を主とする「小売」銀行と、投資・証券の生成・売買を主とする投資銀行・証券会社との分離を強制し、両活動が同じ持ち株会社の下で統合されることを禁止する規制——はやはり賢明だった。一九九九年、市場原理主義の津波に呑み込まれたのは大間違いだったとの意見が二〇〇八年中にほとんど常識となった(日本も同じ一九九九年に初めて、金融ビッグ・バンの一環として銀行、信託、証券における完全な相互参入が許された）。

リーマン・ショックのすぐ後、俗称G30という団体が報告書を出した。一九七八年から存在する、金融界、学界、官界の専門家三〇人からなる連邦準備制度理事会の元会長ポール・ボルカーを議長とする一種の国際的・私的討論会みたいな組織であり、過去のメンバーには行天豊雄、緒方四十郎、山口泰もいる。ボルカーはオバマ政権の経済回復諮問委員会委員長で、G30が二〇〇九年一月に金融業再構築案を発表した。[*127]

大規模で金融システム上重要な銀行の場合は、リスクが特に大きく、かつ利益相反〔つまり、ファンド経営者の利益と資金を預けた顧客の利益が相反すること〕を伴う自前の資金取引が禁止されるべきである。私募の混蔵資金ファンド（銀行自身の資金と顧客の資金が混蔵運用されるヘッジファンドやプライベート・エクイティ・ファンド）などのスポンサーとなること、あるいはそれを運用することとは、普通預金を預かる銀行には、一般的には禁止されるべきであり、大規模な自己資金取引は厳格な資本・流動性要件により制限されるべきである。またCDOなど、債務を集めて証券化する商品の組成・販売への参加については、信用リスクの相当な部分を自ら保持することを条件とすべきである。

グラス＝スティーガル法の復活までには言及していなかったが、この主張はその後「ボルカー・ルール」と称して、国会でのその後の金融改革の議論の一つの大きな柱となった。

「預金保障制度の恩恵を蒙っている金融機関の自前取引の禁止」が、ついに二〇一〇年のドッド＝フランク法で原則となった。ウォール街の反対工作で、その施行規則は中々見えてこず、どんなに水で割った形で実行されるか予測できないが、実行されたら、シティやゴールドマンの活動をかなり制限できるようになり、そういうメタボ銀行のシステム上の重みを軽減するはずである。

イギリスではその機能的分割が改革論の焦点となっていて、二〇〇九年の夏、ジャーナリズムでは、「公共事業としての銀行・カジノの二分割論」(utilities and casinos) として活発に論じられた。公共財を提供する事業としての銀行は、金の動きを容易にする決済制度の運営、預金の管理、および個人や企業への貸し出しをこととするので、預金保障制度などで、その安全性が国家に保障された存在となるべし。カジノとは、ヘッジファンドやプライベート・エクイティも含めて、リスク・マネーを集めて、証券などの自己資金で自前の取引をしたり、大規模投資をしたり、企業のM&Aに関与したりする、その他の金融機関のことだ。英財務省が七月に出した金融改革案では、そのような機能分割に反対の立場が取られていたが、イングランド銀行総裁のマービン・キング卿が強く支持してから[*128]、議論が再び活発化した。キング卿は、中央銀行総裁の普段の慎重さをかなぐり捨てて、かなり大胆な発言をした。

政府がどうしても保障しなければならないほどシステム的に重要な組織だったら、それを民間部門に残すことをどのようにして正当化できるのか私には分からない。景気のい時、高い配当や経営者の大きいボーナスを可能とし、景気が悪くなると、納税者の大損害となるようなリスクの高い事業を銀行が行うことを奨励するのは、資源の配分を歪め、適当なリスク管理を不可能とする。それこそモラル・ハザードである。今度の危機で、世界各国が銀行の救済に膨大な資金を費やしたことは、経済全体の破綻を避ける唯一の方法であったが、世界市場最大のモラル・ハザードとなった。

ところが、財務大臣は説得されなかった。一つのカジノでも、破綻してシステム全体を脅かしうることが、リーマン・ショックですでに証拠立てられていると。[*129]

イギリスで新政府が生まれて、もう一度グラス＝スティーガル法のような法律を作るべきかどうか問題が再燃したのは、二〇一一年の春だった。政府はヴィッカーズ委員会という「銀行業に関する独立委員会」を設定した。[*130] 会長のジョン・ヴィッカーズ卿は元イギリス銀行の主要エコノミスト。委員会の四人のメンバーは、銀行出身が二人に、『ファイナンシャル・タイムズ』紙の経済部長マーティン・ウルフ、およびガス産業規制庁長官だった活動的な女性クレア・スポティスウッドである。

中間報告を出す予定だった二、三週間前から、イングランド銀行総裁のキングも、金融庁のターナーも、地味な小売銀行業務をしていて、預金の保険制度に入る銀行と、投資銀行の完全分離を強く主張して、先手を打とうとした。しかし、中間報告では、同じホールディング内でもいいが、小売の方の情報が投資の方へ漏れることがないように、両部門の間の「チャイニーズ・ウォール」を設けるという構想になった。秋の最終報告、それから政府のそれに対する反応はどうなるか。予断を許さない。

派生商品は市場登録へ?

最も論争の的になったのは、例のCDSおよびCDOの規制についてである。それまでは一対一の契約(多くの場合、銀行対銀行、しかし銀行対事業会社も多かった)を結ぶことが普通だった。その契約を証券化して、市場で売買するのも全く自由であったが、二〇〇六年、二〇〇七年のシステム上の累積リスクがそれらを全く測りえないものにしたこと、そのことが金融危機の大きな原因であったことが広く認められている。いわゆるOTC(オーバー・ザ・カウンター)の無秩序な取引を何とか管理しなければ、将来も金融危機が避けられないと主張する人が多い。

問題はほぼ二つである。まず、OTC契約は普通、担保を要さないか、要求されても、それを保有する銀行が、それを借り入れのための担保として「二重利用」している。[*131] したがって、契約が不良になるリスクが高まる。

個々の銀行のリスク以外に、OTCではシステム全体におけるリスクを管理当局が計算できない。リーマン・ショックの時に米国当局をテンヤワンヤさせたのは、正にそういう面での情報の不足であった。中央清算機関(Central Counterparty:CCP)に移って初めて、必要な推計が可能となる。しかし、それには資本が必要である。ＩＭＦの研究者によると、最近のＯＴＣ活動を基準として、全契約をＣＣＰで登録させて、それに応じた担保を保有することを求めた場合、さらに必要な担保の総額は約二兆ドルと推計されている。[*132]

金融システムに新しく二兆ドルの資本を投入しなければ危険だという説は歓迎されそうもない。金融界からの反対が激しかった。そしてその場合、金融以外の実体経済界に関わる輸出産業は、当然のヘッジのためのＦＸ派生契約を結ぶために、その二兆ドルを分担せざるをえない。

アメリカでの激しい議論の産物だったドッド＝フランク法が、デリバティブ取引を、派生商品取引市場や、それを少し簡略にした「スワップ執行機関（Swap Execution Facilities：ＳＥＦ）」で執行するようにした。しかし、ＳＥＣおよびＣＦＴＣ（商品先物取引委員会）でまだそのＳＥＦの存在基準、新制度の具体的なルールが最終的に制定されていない二〇一一年八月の時点で、「コメント歓迎」として発表されている一〇〇〇ページくらいの「ルール草案」に対して、ウォール街から猛反対が続いている。Ｊ・Ｐ・モルガンでそのルールの検討に携わっている研究チームは、実に三五〇人からなるという。特に銀行二〇行の連盟が、派生商品の中で、為替に関するものを登録の義務から除外するよう、二〇一一年二月、政府に正式に要求した。

金融界から激しい反対の声が上がるのは十分予想できる。ただ、準備しなければならない資本がさらに二兆ドルというのが、果たして大きいのかどうか。二〇一〇年の第3四半期、派生商品の取引から得た米国の銀行の利益は実に一二・二兆ドルに上ったと推定されている。[*133] 不当で無意味な負担だ、と悲鳴を上げる銀行にさほど同情的にはなれない。

しかし、少し同情できるのは、たとえば、二年先に船をアメリカの顧客に売る契約をする日本の造船所が、ドル売りのオプションを買う場合である。今なら相対的に安く買えるが、担保を増やせばそのオプションがかなり高くなるのはたしかだ。一方、商業的貿易のメカニズムに「砂を投げ込む」コストと、他方、より安全な金融システムを確保し、何年かごとに世界GNP成長率マイナス二％の年が来るコストのバランスの問題である。

これには金融安定理事会が強く提案する線はない。むしろIOSCO（証券監督者国際機構）に主導権を譲る構えを見せている。例の「書簡」で強調しているのは、合理的な市場を作る条件としての派生契約の標準化、そして金融システム全体における、信用リスクの推定ができるよう、契約の中央登録をするリポジトリの設立である。どれだけ市場以外に店頭取引を許すかについては、各国の議論に任せている。ただ、いわゆる「金融規制アービトラージ」（国によって制度が違う場合、規制のゆるい取引場所を探し、自国より海外の取引所を利用すること）を防ぐために、国際的統一の必要を説く。実情は、統一どころか、自国の金融業の競争力強化のために、規制を他国よりゆるくする。それが実は、東京、上海、香港、シンガポール間の競争も含めて、金融危機をもたらした災いの元であって、今でも競争が激しく続いている。災いの元は、決して派生商品の店頭取引ばかりではなかった。

格付け会社の問題

内容の怪しい派生商品（CDO、CDSなど）に太鼓判を押し、その売買をやたらに奨励して、価値のないものに価値を認めた格付け会社が、金融危機をもたらすのに大きな役割を果たしたということは、普遍的に認められている事実である。企業のランクを一つ下げただけで、その企業が大量空売りの対象となり、終いに倒産した例もたくさんある。国債の場合も、ギリシアの国債が安くなって、利子率が未曽有のレベルになり、ギリシアが危機に陥ったのも、ムーディーズの格下げで始まったエピソードだった。

基本的な問題は、米国（否、世界の）三大格付け機関（ムーディーズ、スタンダード・アンド・プアーズ、フィッチ）は、投資家、投機家へのサービスとして、一種の公共財を提供していながら、実は普通の営業会社であって、その収入・利益は、評価する証券を発行する会社や銀行からの手数料に依存している。三社で競争しているわけだから、明らかに「客引き」的な寛大な評価をする誘惑にさらされる（後に毒化することになるCDO証券にAAAランキングを与えたように）。公共財なら、国家が法人税の一部を使って運営するか、原則として、公共の制度として作り直すことが望ましい。

ところが、それは、首都移転と同じように難しい問題である。というのは、格付け会社の評価が、各国の様々な金融法規、規制、協会規則の中に、「評価AA以上の企業」、「CCC以下の企業」などの形ですでに入り込んでいるからだ。金融システム自体の一部になり、システムにいわばハード・ワイヤードされている。そのため、大企業の社債、ギリシアの国債など、格下げされると「崖から落ちる」ほどの効果がありうるのだ。いつかトヨタが、人員整理をせず、利益見込みを下方修正した時、当時の奥田碩会長は、格付けを下げたムーディーズに対してひどく怒ったことは理解できる。

結局アメリカ一国の制度であるにもかかわらず、世界の資本市場、特に国債・社債市場が、格付け会社の基準を拝借しており、それなくしてはシステムが機能しないようになっている。望ましくないことだと認識されていても、弱体化したオバマ政権には、ウォール街の怒号にめげず、格付け会社を、たとえば、国有化したり、IMFの管理下に置いたりするような法律を考える可能性は、二〇一一年八月まではゼロだった。金融安定理事会としてできることは、漠然とではあるが、格付け会社以外の「別な信用評価基準の確立」を進め、「現在、格付け会社の規準がハード・ワイヤードされて使われている法律、規則などを徐々に変えていくこと」だけである。

格付け会社が実効的な管理を受ける可能性が急に大きくなったのは、二〇一一年八月の、スタンダード・アンド・プアーズによる米国債の格下げだった。これが、スタンダード・アンド・プアーズ、ムーディーズ、フィッチ三社の共同作戦だったという説も納得できる。[*134] スタンダード・アンド・プアーズが先頭部隊で、残りの二社が涼しい顔で政府当局と交渉する。SECなどに公共的格付けシステムを作るという案を抹殺する戦術である。

金融商品の種類の制限

金融安定理事会の「書簡」に、勇気が足りないというか、突っ込んだ分析が避けられているもう一つの点は、「社会的有用性」が認められない、新技術を用いた金融商品の取引規制の必要性についてである。製造業と違わず、依然として金融業でも、イノベーションは原則的にいいもので、それによって生まれる商品は、売れさえすれば、つまり買い手の存在だけを証拠として、「人類の進歩」に貢献するものとされる。この、世間の常識に金融安定理事会は挑戦していないのである。

世界の日々の為替市場の「出来高」は、二〇〇七年には三・三兆ドルだった。二〇一〇年九月の国際決済銀行の報告書によると、すでに四兆ドルを超え、二〇〇一年の三倍以上になっている。

この額のためには、どれだけ世界貿易が必要だろう。二〇〇九年の世界貿易は、金融危機のおかげで前年より二〇%以上減って、年間一二〇億ドルだった。つまり、物品の国際売買のためにドルを円にしたり、ブラジルのレアルをユーロにしたりする一年間の取引を、一日のFX取引で三三回くらいカバーできる計算だ。金融サービス以外のサービス貿易がそれと同額と推定すれば、一五回となる。年間、一五×三六五、貿易量とFX取引の比率は一：五四七五となる。

為替市場の膨張は、一九七一年のブレトン・ウッズ体制の崩壊、各国が自由度は違うがほとんど変動相場制に移った時以来の現象である。ヨーロッパ一一か国が共通通貨ユーロに移ってから、一時は減ったものの、依然として世界貿易の拡張より何倍も速い率で拡大している。

その大半は現物でなく、先物かオプションである。つまり投機的なギャンブルなのである。もちろん、あらゆる取引にはギャンブルの要素がある。造船所が二年先にアメリカへ船を一隻売った場合、ドルの先物のオプションを買うのが経営上当然になっている（そのヘッジのコストが、造船コストの一〇―一五％にも上るかもしれないのに）。しかし先物やオプション市場が膨張してきたのは、そうした単純な実体経済の需要に応える取引のためばかりでは決してない。

「初心者に人気のFX投資。手数料が安い！」のような広告に誘惑されて、デイ・トレーダーとしてカジノ的な楽しみを求め、また、貯蓄を増やそうと思って参加する個人もいる。しかし、大半が他人の金を使った大銀行同士のギャンブルである。国際決済銀行が三年ごとに調査しているのだが、二〇一〇年春の調査の結果、造船所のような実体経済の企業が相手先（counterparty）になっている契約は、契約総額四兆円の一三％にすぎない。それでも、実際の貿易の何倍という額なので、実業会社の為替専門家による投機的ヘッジの組み替えなどもかなり入っている。

残りは金融業者同士の取引で、カネでカネを作る（作ろうとする）ギャンブルである。調査報告によると、二〇〇七年から二〇一〇年までの四年間で取引総額が二〇％増え、四兆ドルに至ったのは、一方で先物やオプションよりも、特に現物市場（スポット：直物為替）が膨張したこと、他方で、主要な専門FXディーラーと、年金基金、ヘッジファンド、保険会社などとの取引が増えたためである。しかし、専門ディーラー同士の取引が依然として総額の四〇％近くに上っており、その大半は、活発なFX部門を持つ二〇行ほどのメガバンク同士の取引である。[*135]

四兆ドルもの取引なので、手数料の儲けだけでも相当だが、先見の明を持っている人たちのギャンブルそのものによる儲けもかなりの額だろう。とにかく、価値創造的な取引ではなく、ゼロ・サム・ゲームだから、手数料など金融業者の儲けは、事業会社、輸出入業者の損になる。その世界の東西にいる、何十万人の為替専門家は、カジノの経営者と同様、高い給料やボーナスで豊かな生活を楽しんでいるのだろうが、理髪店と同程度にも社会的に有用なサービスを提供しているとは思えない。

それに、為替取引専門家の「群集本能」が、実体経済に与える影響も大きい。たとえば、二〇一一年四月五日、前日、円売りドル買いの数字が普通のボラティリティ（乱高下・変動性）以上に上昇したというニュースが流れた。「円安の時代に入ったか」という見出しで報道され、[*136] 多くの経営者の生産計画を狂わされた。

FX市場の制御――トービン税

こうした様々な非合理性は経済学者の間で長く常識となっていた。特に、それに注目して制度的提案をしたのが、ジェームズ・トービンというアメリカ人の経済学者で、彼はノーベル経済学賞を受けた。

マルサス、リカード、アダム・スミス、J・S・ミル、マーシャル、ピグーなど、そしてケインズ。私のようなあまり愛国的と言えないイギリス人でも、「こうした知的伝統を持った国に生まれてよかったな」と思う時がある。「政治経済学者」で通っていた彼らは、経済政策が人間の日常生活・福祉にどう影響するかという問題意識を一貫して失わなかった。いずれも、大学で教鞭を執ることよりも、民間人としての活動に重きを置いた。宙に浮いた「経済効率」だけを問題とし、経済活動のあらゆる面を経済合理性に沿うようにモデル化・数量化しようとする新古典派が優勢になったのは、経済学が大学の学科となってからである。君子の学問が小人の学問となってしまったのである。

トービンは新古典派のありきたりの大学教授というより、一九世紀の大家の伝統を汲んだ「政治経済学者」だった。一九七〇年代、アメリカ経済学会の会長となった時の演説で、すでに経済の金融化現象をテーマとして、自分の一番優秀な学生の大半が金融業を目指していることを憂えている。[*137]

トービンは一九七二年の論文で、不必要なFX市場の膨張を問題にして、その膨張抑止のため、〇・二％くらいの軽い為替取引税を提案した。もちろん、目的は一石二鳥。①無駄な取引を減らすこと。②それで生じる税収入を基金とし、第三世界の経済開発のための資金源にすること。もちろんそれには、IMFか世銀が音頭を取って、世界中の国の同意を得た上で設定しなければ効果がない。

以後、四〇年間、この構想はトービン税として、学者や政治家に度々取り上げられてきた。最近は、二〇〇六年、金融危機が起こるちょっと前に、フランスやノルウェーが提唱国になり、「開発のための革新的資金調達に関するリーディング・グループ」が作られた。しかし、これは、諸国の開発問題、開発援助担当大臣の親睦会のようなもので、主たる目標はエイズやマラリヤに対抗するための新しい援助資金源を作ることであった。やはり、その資金源の中に（すでに一〇か国が施行している航空券税などと並行して）、為替取引税をも想定しているものの、金融業を敵対相手にしないような配慮は明らかである。援助問題の優先順位が西洋全体で、いかに降下してきたかを反映している。二〇〇七年の第二会合でノルウェーの開発相が言う。[*138]

ここで強調しておきたい重要な点は、これが新しい論議であり、「トービン税の再来」

ではないということです。今回提案の通貨取引税は低率の課税であり、追加的資金源を導入するというたった一つの目的を持ったものです。これは、国際金融市場の「車輪に砂を入れる（妨害する）」ための高い税金ではないのです。反論を整理し、吟味し検証するため、この提案を市場参加者および金融関係者と議論する必要性が高まっています。その会合も迫力を失いつつあるようである。日本で一時期、少数の議員や民間人が熱心に取り組み、鳩山内閣の時に超党派の議員連盟と寺島実郎を会長とする市民団体ができて、東京で八回会合を持った。二〇一〇年末、外務省の熱心な優待活動のおかげで、参加国（代表＋オブザーバー）が七七か国になったが、具体的な結論が出ない活気のない会合だったようだ。日本のNGO団体が評して、*139「LG第八回総会の中心軸とすべきアジェンダ、あるいは獲得すべきアジェンダについての設定が弱く、全体としてこれまで議論してきた革新的資金調達メカニズムについて無難な議論に終始したという感が否めません。一言で言えば、メリハリのない総会であったと思います」。

G20での経過

アメリカの政府は、おそらくウォール街を挑発したくなかったためだろうが、金融安定理事会の「書簡」にも、G20の宣言にも触れていない。

金融改革について最もざっくばらんに、客観的にものを見ようとする試みの一つは、二〇〇九年八月、『プロスペクト』紙一六二号に載った座談会だった。特に面白い主張をした出席者はアデア・ターナーである。彼は、イギリスの経団連に当たる団体の書記長という経歴もある経済学者で、二〇〇九年からイギリスの金融庁長官を務めており、金融安定理事会の主要な作業部会（金融管理・規制における国際協力常任委員会）の会長でもある。

ターナーも、古いイギリス「政治経済学」の伝統に根ざしている。その座談会で金融業の取引形態、金融商品について、取引する人に有利であるかどうかばかりでなく、「社会に有用であるか」を問うべきだと語っている。座談会の中で、金融化は「超金融化」になりやすいとも言う。

金融業が「社会的に最適な」レベルよりも膨張しうるということは重要な指摘だと思う。金融システムのセクター、たとえば、社債のような定利証券や派生商品の売買、ヘッジ、さらに、資産管理業、および普通株の売買の面などでも、社会的に合理的なサイズ以上に膨張していることは明らかだ。証拠としての指標はどこにでもある。たとえば、金融卸業のGDPにおけるシェアとか、一流大学の秀才が金融業に就職する割合などだ。金融仲介業〔個人の貯蓄を投資資金に変換する仲介〕がこれほど多く資源をむさぼっているわけだが、それを必然だと正当化する理論がなければ、明らかに問題ある事態だ。

ターナーは大分皮肉を言われた。一九七〇年代、ガルブレイスやパッカードなどにとって、悪玉は金融業でなくて広告業だった。誰も必要としていない製品、しかもすぐ古くなって買い替えなければならない製品を、生活必需品と仕立てて売る広告業者を槍玉に挙げていたではないか。「社会的有用性」なんて、流行の問題だ。今たまたま「カネ作り＝悪」、「モノ作り＝善」という時代になっただけで、明日、また変わっているかもしれないぞ、などと。[*140]

しかし、まだ労働党のブラウン政権は説得できた。それから何か月か続けて、G7、G20の会合でイギリス代表が金融取引税——トービンの構想そのまま——を推すようになった。イギリス、フランス、ドイツでそのような制度が導入されるようになったのだが、この金融取引税のようなものは、アメリカのドッド＝フランク法にも登場しなかったし、ターナーが金融安定理事会の重要な作業部会の会長だったにもかかわらず、金融安定理事会の積極的推薦も得られなかった。

ターナー自身、例の座談会でも、二〇一一年二月の講演でも、多くの取引が、価値を何ら創造しない、社会的に無用なギャンブルであり、一方の利益が相手の損となるゼロサム・ゲームであるとし、「分配的取引」と言えばいいとも言っている。しかしそれを、流動性の度合いを上げて、資本の配分を効率化する「創造的な取引」だと主張する人も多い。

現実問題として、「分配的」取引と「創造的」取引を経験的に仕分けすることは難しいと言う。つまり、ほとんどの取引が「流動性の度合いを上げ、創造的だ」という金融専門の経済学者による金融業防衛の論に対して、「でたらめだ」と言い切るには躊躇があり、指標設定の研究が必要だとも言う。[*141]

もっと研究されるべきテーマだという点には大賛成だが、それだけでは物足りない。あらゆる投資に伴うリスクおよび不確実性、それから投資家の判断基準に影響する近視眼、根拠なき熱狂、群集本能にもかかわらず、資本の配分が最も効率的になる（平均利回りが最大になるという意味で）とは私には信じられないのである。ましてや、その投資がもたらす生産が社会的に最適であって、政治的価値評価が入る余地がないなどとはとうてい納得できない。

ロンドンのシティのお偉方を前にした講演だったので、ターナーは、あまりに挑発的となり改革の推進が難しくなることを意識したのか、「金融化（金融集約化）が、配分の効率化をもたらすと自動的には前提できない」と言うに止まった。

より明瞭に判断しているのはイングランド銀行の理事、ホールデーンである。[*142] 最近、各市場での流動性が増してきたことと並行して、為替、証券市場の価格変動性がますます実体経済の価格の変動性を超える傾向が強くなっている。証券の市場価格と会計上のフェア・バリューとのギャップが大きくなり、取引量とコストが増えて、証券の平均保有期間が短くなってきた。つまり、「お金の意識」が変わったのである。昔は、「貯蓄への利子が忍耐力、自己規制に対する報酬である」という原理が常識だった。今や世の中が、「平均の利子率に甘んじて、より高い率を獲得しようとしないのは馬鹿だ」という原理に移った。小泉・竹中時代の、「貯蓄家を投資家へ」という、カネ作り謳歌の時代のスローガンのように。

証券のリスク配分と裸のCDS

金融安定理事会の「書簡」に登場しないのだが、サブプライムローンの証券化があまりにも悪影響を伴ったので、大抵の国の改革案に、その問題が入っている。ドッド＝フランク法にもである。最も無責任な行動は、何百かの住宅ローンを束にした後、トランシュに分けたCDOを生成して売り、リスクの一〇〇％を相手に転嫁したことだった。もう少し慎重に行動させる方法として、証券、そしてリスクの一部を当初の発行者が保有しなければならないというルールがあり、ドッド＝フランク法の場合、保有しなければならないのは、生成分の五％である。

もう一つの無用の長物が、いわゆる「裸CDS」である。元々の形態は、ある企業の社債を持っている人が、その企業が倒産して社債が反故になる可能性に備えて保険をかけることである。毎年いくらかの掛け金（しっかりした会社なら社債の成熟期の買い戻し額面の二％以下）で、社債の倒産以前の価値を保障する契約である。

これは「社会的に有用」と言えるだろうか。それは保険であって法律上保険法によって規制されるのが当たり前に見えるが、アングロ・サクソンの国では、法律上保険ではなくて金融スワップとして取り扱われている。保険法だったら、隣の家に黙ってその家に火災保険をかけることは禁じられている。全く当然だ。放火罪奨励はとんでもないことだからである。しかし社債のCDSの場合、国によっては、そのとんでもないことがまかり通る。たとえ、

X企業の社債を全く持たなくても、X企業発行の社債をめぐるCDS契約の売買は自由である。X社がしっかりしていて、倒産の可能性がほとんど考えられない場合、X社債の保険の毎年の掛け金が、社債額面の一・五％などの安いパーセンテージで買える。そして、急に「X社が危ない」という噂が立つとする。すると額面の五％でないと新契約を結ぶ銀行はない。しかし、掛け金一・五％の古い契約はまだ有効である。そういう安い掛け金のCDS契約を嗅ぎ出して、X社の社債を全く持っていない投機家が買いあさる。その会社の市場における新規契約の掛け金は一・五％から、七—八％に高騰する。苦しくなったX社が、その場しのぎの資金調達として新社債を発行しようと思えば、社債の利子率をそれだけ高くしなければ、売れない状態になる。ますます借金におぼれることになる。

企業ばかりではない。国家もそうである。ギリシアの金融危機が深刻化したのはギリシア国債の空売りに加えて、新契約の裸のCDSの掛け金がどんどん上がってギリシア政府が発行する新国債の利子率が急騰したためである。ドイツなどはその裸のCDSの取引を禁じているのだが、そういう取引を歓迎する金融センターが世界中にたくさん残っている。

明るい未来？

ここまで検討してきた金融改革が、果たして金融制度を安定させうるかどうか疑問である。先に紹介したように、ラインハートとロゴフの『国家は破綻する』が経済書のベスト・セラーになった。[*143] この本は、市場と自由交換の社会が現れてから何回も繰り返されたサイクルを描いている。新技術の導入とか原産物の高騰化など、何かの刺激に基づいた好景気→信用バブル→人の予測・期待が楽観から警戒に変更→パニック→デフォルト・貸しはがし→大量倒産→不景気というサイクルで、それは人間社会につきものであるという。

繰り返されるもう一つのサイクルは、アービング・フィッシャー（アメリカの経済学者、健康運動家、優生学者）が名付け親の「デット・デフレ」、負債デフレという、不況深刻化のそれである。[*144] 一九九五年以後の日本のデフレ・スパイラルのメカニズムとしてよく引用される。ところが、今問題なのは、フィッシャーやケインズが主張したデフレ対策が採択されないことではなくて、生半可にしか採用されないことである。

一時は、不景気、GNPの停滞・縮小対策として、政府の赤字予算による経済刺激策を呼びかける声が勝ってきたが、慎重派、国家介入反対派の妨害によって、刺激が中途半端で、期待が十分楽観的にならず、企業の収益が投資ではなく、負債返済に向けられてしまう。「刺激は効果なし」と主張する刺激反対派の声が強まり、「刺激政策が赤字解消政策に転ずる」→「デフレ・スパイラル」という流れである。

一九三七年の米国、一九九七年以後の日本、二〇一〇年の米国がその例である。ルーズヴェルトの時、そのサイクル（サイクルというより、一九三七年以後、一方通行の衰退）を打ち切ったのは、戦争とインフレだった。米国の国債残高は四〇年代には、GNPの二倍を超えた

（日本の今の一・二倍という数字は国民経済の総動員を期待できない平和時だからこそ騒がれる）。日本の場合、一九九七年にサイクルが本格的になった。それがまだ進行中である。以上のサイクル論を展開したクルーグマンは、失業率一〇％の現在の米国は、その二の舞となる可能性が十分にあると言う（二〇一〇年九月）[*145]。

ルーズヴェルト政権の時でさえ、大不況と本格的に取り組むのに必要な措置を取る政治的意思がなかった。問題が究極的に解決されたのは、いわば偶発的な出来事のおかげだった。

私は、今度は対策はもう少しましだろうと期待していた。しかし、蓋を開けてみると、政治家も経済学者も、半世紀にわたって、一度得た教訓を一生懸命に頭から追い出そうとしている。過去の誤謬をどうしてももう一度繰り返そうとしているのだ。

3・4――金融化は不可逆的か

再び金融化現象の本質について

以上見てきたように、グローバル金融のルールを制定しようとしている世の金融当局は、「社会的公正の問題」よりも、圧倒的に「金融安定」の方に興味がある。どこが悪かったのか、何を改革すべきか、どういう治療が効果的なのか。これら共通の問題は、最近のような金融危機――サブプライム問題が浮上した二〇〇七年からリーマン・ショック後のパニックまで――の再来をどうしたら防止できるか、である。

金融制度は安定しているに越したことはない。これまで見てきた様々な制度修正は、国際的なまとまりはなく、アメリカのボルカーやイギリスのターナーなどの賢明な識者による提案にはるかに及ばない。それでも、必然的にやって来る次の金融危機への対応をより合理的、効果的にするのには貢献するだろう。

しかし、それらの修正案は、「必然的にやって来る」と言わざるをえない根本の状態を何ら変えない。「大きすぎて潰せない」メガ銀行はさらに大きくなっている。米国ゴールドマンのロイド・ブランクファイン頭取や、英国バークレイズの頭取ボブ・ダイヤモンドが、それぞれ自国の国会で、「もう後悔の時期は過ぎた」などと平然と開き直った場面が象徴的だ。

アングロ・サクソン資本主義における、民主主義政治の本当の勢力図を示している。

そして、二〇〇八年にサルコジ仏大統領、シュタインブルック独財政相が「アングロ・サクソン資本主義の終焉」を唱えていたフランスやドイツでも、少し勢いを失ったものの、三〇年来、「忍び足で」経済のアングロ・サクソン化傾向は続いている。いわんや日本においてをや。リーマン・ショックを経験しても、半世紀にわたった自民党体制が覆っても、グローバル化への熱は多少引いただけである。依然として経団連や東証や経産省では、「アメリカではこうだ」というのが一番説得力のある論法になっている。

政治経済学者の間で、「アングロ・サクソン型資本主義」がヨーロッパ大陸や日本の資本主義とは違う、特別な「類型」をなしているということが認められ始めたのは一九九〇年代前半だった。[*146] しかし固定した類型ではなく、重要な変容（進化的変容）を経験してきた制度複合体である。

一九一〇年の英米の経済の仕組みも、二〇一〇年のそれとは随分違っている。変容が加速されたのは、一九八〇年のレーガン、サッチャーの時代以来である。この本の主題である「金融化」の基本的側面——モノやサービスを生産するのに使う物理的資本や生産手段より、その生産手段や生産されたモノとサービスの所有権の獲得（現物的所有権および先物的所有権の獲得）に使える金融資本の方が、より速いテンポで膨張するという特徴——が顕著になった。

①相対量——「モノ」の資本と「カネ」の資本のバランスがますますカネの方に偏重してきた。
②投資する主体——その金融資本の直接所有者・管理者は「個人」ではなくて、銀行その他の金融企業になり、管理・投資するのはその企業の専門従業員となった。
③配分——その管理・投資された資本の究極的な所有者である預金者、株主、社債保持者など以外に、相当な部分が金融機関の従業員に、「資本収入」でなく「労働収入」として向けられる。所得分布が変わり、貧富の格差がますます顕著になる。

その三つの要素をそれぞれ吟味しよう。

相対量

金融資本が、世界経済の成長率よりも、世界のマネー・サプライよりも高い率で膨張する基本的要因を論ずるのがこの節の主要な目的であり、後で詳しく検討するが、まず実情を確認しよう。

最初に、モノの資本とカネの資本の総体的比重である。すでに、1・2節の初めに、シカゴ赤身豚肉先物取引所について指摘したのだが、実体経済で養豚業者が小屋、餌、労働などにかけた資本額などに比べ、最初その金融派生商品（豚肉卸売り業者の来年の購入オプションや養豚業者が小屋を立てるための債務証券などの売買）に投資された資本額は小さかったが、二〇世紀に入って、どんどん巨額になってきた。
養豚業ばかりでなくて、あらゆるモノ作りの業種や（金融サービス以外の）サービス業種について言えることだが、物理的な設備資本の評価額より、その生産物の売買、先物・オプションの売買に使われている金融資本の方が相対的に高くなった。個人的なレベルで、大部分の人はおそらく私と同じように、今使っているパソコンや、住んでいる家の価値が、銀行預金や株や年金基金の権利給付の価値より圧倒的に高いと思うが、イギリスの一番裕福な一%が国富の二一%を持っており、これは一九七五年から変わっていない。住宅を抜きにして計算すれば、一九七五年に二九%、二〇〇三年には三四%となる。その五ポイントの上昇分は個人所有の金融資産の増加分を反映している。[*147]
マッキンゼー社の研究所が二〇〇二年から主要一〇〇か国をカバーする、グローバル資本市場の巨大さの推計を定期的に発表している[*148]（次表の単位はドル）。それは売買可能な株式、社債、国債プラス銀行預金の合計である。一八年間で金融資本は四倍になった。その一九九〇年および二〇〇七年の対GNP比を、「資本算出率＝二%」[*149]で非常にラフな計算をすれば、一九九〇年に、物理（設備）資本対金融資本の比率が二四：一であったのが、二〇〇七年に一三：一となっている。

世界の金融資産　一〇〇か国の　内、国境を越えたFDI、

の年末推計	金融資産の推計	ポートフォリオ投資の推計
一九九〇年	四三兆（＝世界のGDPの二〇一％）	
二〇〇六年	一六七兆	八・二兆
二〇〇七年	一九四兆（＝世界GDPの三五九％）	一一・二兆
二〇〇八年	一七八兆	二・二兆

投資する主体──個人から組織へ

「投資」の意味が変わった。一九世紀、二〇世紀初頭、資本所有者──土地など、相続した財産の市場価格の自然上昇の恩恵を蒙った資本家、企業家としてよく売れる「モノ」を作って成功した企業家、医者・弁護士など高級サービスを提供して儲けた金を貯蓄した資本家など──が、大体、自分の判断で投資をしていた。低利子の安全な国債に投資する人もあれば（一八五〇年のロンドン取引所の取引の八〇％が英国債）、しっかりしたビジネス・プランを持った企業家に投資する人もあり、インチキな山師の夢の金山や、フランスなら長期的大事業をなしたスエズ運河建設会社に投資した人もあった（イギリスの金持ちは敬遠したのだが）。投資会社という、「卸金融」のレベルでも、J・P・モルガンや、ベアリングスやロックフェラーなど、銀行を自分で作った創立銀行家やその子孫が、自分の判断でモノを作り、有用なサービスを提供する事業家に直接投資した。

現在は、それと対照的に、投資取引は、カネで生産手段を作る／買うために行う投資行動より、今手放す金融資産がより高い市場価値を持って帰ってくるための投資取引が圧倒的に多い。東京株式市場で、日本の会社が「モノ」を作るための、新規上場会社の株売却等の形による資本調達の総額は、二〇〇〇年から二〇〇九年まで、年間最低一・四兆円、最高六・二兆円だった。金融危機以前の二〇〇七年の年間株売買の「出来高」（約一〇〇〇兆円）の微々たる部分でしかない。[*150] そして、投資判断をする人は、専門の金融業者である場合が圧倒的に多くなった。

再び金融資本の膨張について

なぜ世界金融資本の成長は、GNPの成長よりも、マネー・サプライの成長よりも速いのか。「循環的」、「進化的」という区別は必ずしも明瞭ではない。ただ、「進化的」は、技術の蓄積、それによる生活水準の向上、分業の構造的変化などがもたらすものという意味で使う。「構造的」とも言う。その諸傾向は、ローマ帝国の崩壊のような末期的状況がない限り、継続的で不可逆的である。「循環的」とは、支配的イデオロギー、政治体制その他の変動による傾向を意味する。ここで取り上げる金融資本膨張の三つの要因は、第一については「循環的」であろうが、後の二つは、社会の個人化や思想の個人主義化は技術蓄積の結果という考え方同様、「進化的」と言えるかどうか。つまりそれらが不可逆的であるかどうか、議論の余地がある。

①世界的投資意欲の低下

②国家経営の社会保障制度の衰退、リスクの個人化

③他の権利に比して所有権の優越性を深化する法制の普及——コーポレート・ガバナンスにおける株主主権原理の徹底。「企業共同体」思想の衰退

「貯蓄から投資へ」というスローガンは、(日本で小泉・竹中時代に盛んになった)新自由主義の布教運動の重要な要素だった。過去の三〇年間、英米では、消費(と借金)ばかりが増えて、貯蓄も投資も相対的に下がったのだが、世界全体のGDE(国内総支出)の中では、「貯蓄」総額の伸びの方が「投資」額の伸びより高かった。ある計算によれば、投資率は一九七五年のGDPの二六・一%、二〇〇二年の二一・八%を両極とした。もし一九八〇年から二〇〇九年までの間に一九七〇年代の二六%の投資率が維持されたとすると、投資額は、実際投資された額より二〇兆ドルくらい多かったと推定される。*151

同時に世界の対GDP比の貯蓄率は上がったのか、下がったのか。正確に計算することは難しいようだが、*152明らかに貿易インバランス——中国、日本、産油国などの貿易黒字、外貨準備保有の増加は二〇〇〇年以後顕著だった。何しろ投資に回された貯蓄が少なくなっただけでも、バーナンキFRB議長に、二〇〇五年の演説で「だぶついている豊富な世界貯蓄」と言わせたほど、流動金融資本の累計的増え方、それによる金利の継続的低下はブームをも

たらした。それが、金融資本（投資に回されないで、金融市場に留まる資本）の量的増加をもたらし、金融危機の一つの主要な起源となった。

以上の数字を拝借したマッキンゼーの報告書によると、これからこの貯蓄・投資のインバランスはＢＲＩＣｓの旺盛な投資意欲によって修正されるはずである。したがって金利は徐々に上がるだろう。家計の貯蓄者にとって朗報である。しかし、それが金融資本の膨張にどう影響するかは、測りにくい。

国家の社会保障制度の衰退

一九四五―八〇年の間、先進国諸国で著しかった傾向の一つは、不確実性の多い人生を送る人間が必ず経験する、病気・事故で働けなくなるリスク、介護を要するようになるリスク、働けなくなってから長生きするリスクなどをカバーするのに、集団的保険、国民のリスク・プールを作る社会保障制度を徐々に完備してきたことである。いわゆる賦課制の原理を貫徹する制度が基本だった。

賦課制の原理とは、英語で「pay-as-you-go」と言って、年金制度について言えば、今年の老人給付を、今年現役で働いている人たちの掛け金で払うような制度である。国民共同体の中で、所得階層間、そして世代間、長寿の人と早死にする人の間、できる人と無能な人の間――の分かち合いを原理とする制度である。日本の厚生年金で言えば、大正生まれの人たちの年金を、平成生まれで今働き始めた人たちが払っている。

高齢化、少子化の時代が襲ってくると、掛け金を払う人・給付を受ける人のバランスが変わってくる。その対策として、次のような提案がある。

◎現役の人の保険掛け金を段々上げる。

◎毎年の掛け金収入と給付のギャップを消費税など国税の一般収入で補う。

◎「国家共同体内の分かち合い」という原理の代わりに、基金制度と「自己責任」の原理に移行する。つまり、個人のレベルで言えば、給付を貰う権利が、自分の一生の掛け金の累計額、およびその貯蓄／投資の利回りによって変わるという原理を採用する。

日本は「基礎年金五〇％国庫負担」を取り入れたり、介護保険を設置したり、その三つの方法の中での二番目の対策を取ってきた。しかし、アメリカの新自由主義に大いに影響された日本は、「国民共同体」の意識がまだ旺盛であるスウェーデンなど、スカンジナビア諸国と違って、過去の一五年間は第三の対策に重点を置いてきた。アメリカの税法から名前を取った、「４０１ｋ」の個別基金勘定を、国家年金にも、会社年金にも導入し、医療の自己負担分を増やしたりして、「自己責任」の原理を推進してきた。

こうして年金基金、医療保険基金などが膨張し、市民同士の絆ではなく、資本市場が社会保障の基本となっていく。その結果、金融資本はますます膨張せざるをえない。年金基金の資産額は、資産価格の変動でかなり変動するが、金融危機で最も価値が下がった二〇〇八年には、世界の合計が世界のGDPの五八％だった。二〇〇九年には七〇％に上がったのだが、まだ二〇〇七年のレベルに及んでいなかった。[153]

とにかく、「リスクの個人化」、社会保障制度の衰退が、金融資本の著しい拡大の一つの源泉であったことは明らかである。

企業の経営権を買う金融業者

金融資産が生産手段、住宅などの資産に比して量的な面で膨張するばかりではなくて、金融資産所有者たちは実体経済の企業の経営権をどんどん手中に収めている。

これは金融資産の膨張を説明する要因の重要なメカニズムであり、同時にこの本のタイトル「金融が乗っ取る世界経済」の最も生々しい表現でもある。

もう一つの言い方——新自由主義思想が支配する民主国家では、人間の諸「権利」の中の優劣順位が変わってきた。すなわち、生存権、発言の自由、組織の自由、裁判での市民権、労働契約から生ずる権利、為政者を選ぶ投票権など、つまり他の社会関係より生ずる諸権利よりも、「所有権」がますます優勢になっている。コーポレート・ガバナンスはますます株主主権的色彩を帯びている。

そのメカニズムをおよそ次のように図式化できる。

このような「資本シェア最大化」工作には、二つの類型がある。一つは「余剰資産吸い上

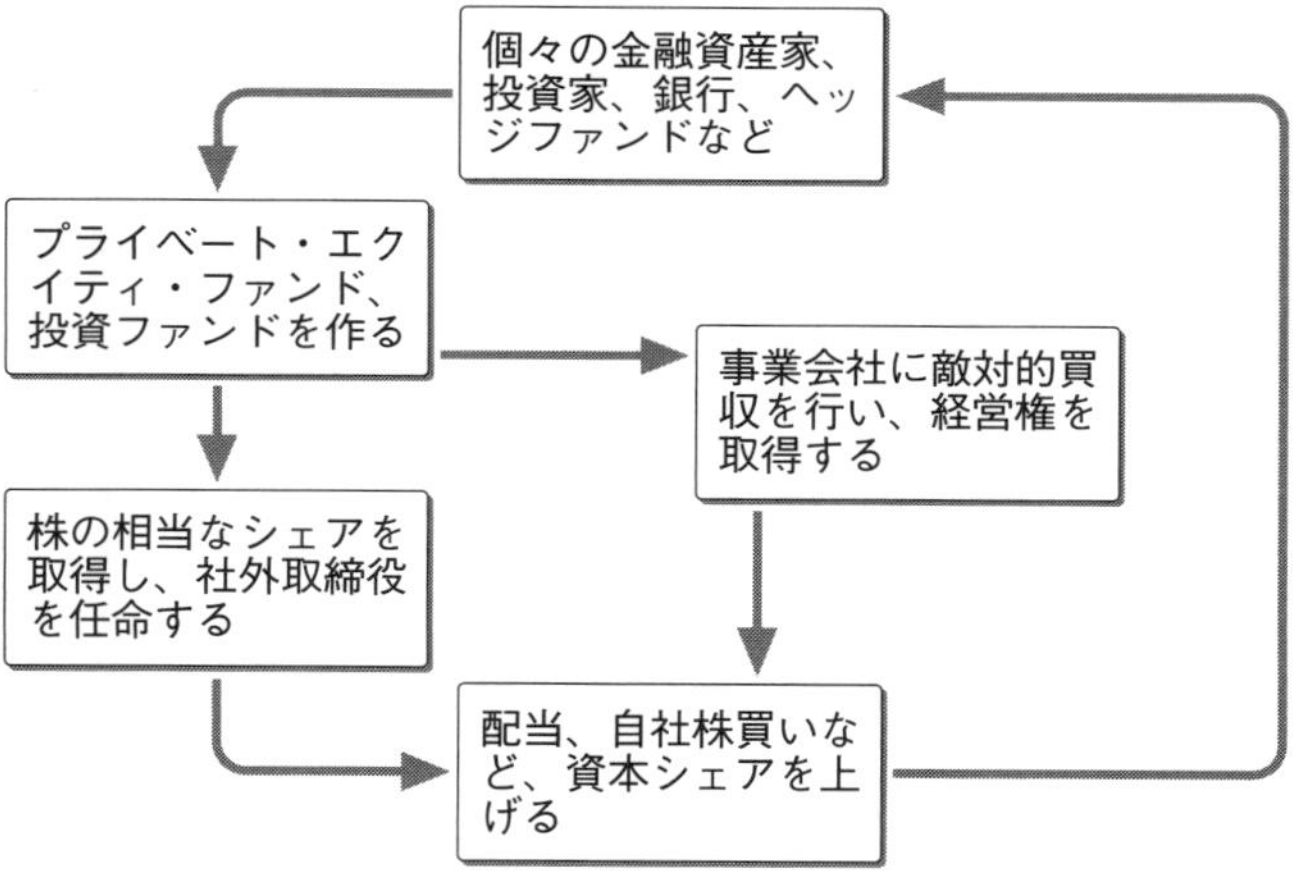
個々の金融資産家、投資家、銀行、ヘッジファンドなど
プライベート・エクイティ・ファンド、投資ファンドを作る
事業会社に敵対的買収を行い、経営権を取得する
株の相当なシェアを取得し、社外取締役を任命する
配当、自社株買いなど、資本シェアを上げる

げ型」と言える。日本では、東京スタイル、ソトー（染色会社）、ユシロ化学工業、ブルドックソース、サッポロビール、アデランスなどのケースが騒がれた。短期間、経営権をコントロールして、会社が「万が一の場合に備えて」保持していた資産を売らせ収益を上げ、適当な時にその会社の株を売るというものである。

もう一つはプライベート・エクイティ、MBOなどの型である。株を買い占めて、中長期の期間、会社のコントロールを握り、徹底的にリストラを行って、収益を上げるケースである。徐々に後者の方が増えてきている。結果として、実体経済の経営陣に、数は少ないものの、保有株のシェアが大きい、本来金融業者である株主の傀儡である取締役が多くなる。

もっとも、敵対的買収のすべてが資本シェア最大化のための買収ではない。たとえば、新日本製鉄が恐れていたミタルによるＴＯＢ（株式公開買い付け）は、資本シェア最大化ではなく、産業構造の再編、生産の合理化・効率化が目的だったろう。資本シェア最大化のケースは、一九八〇年代、ＫＲＲというファンドがＲＪＲナビスコのワンマン社長と組んで、買収に成功した事件以来多くなった（その事件が有名になったのはそのいきさつを克明に描いたジャーナリストのベスト・セラーのおかげだった）。[*154] そして大分前から、ウォーレン・バフェットのバークシャー・ハサウェイのように、実体経済の企業を買収するのだが、敵対的というより同意によりながら買収していく投資ファンドもある。それらのファンドの存在も、金融資産の量的膨張が可能にした一つのメカニズムであった。

「ステークホルダー経営」

過去の一世紀の企業統治に関する学説および一般の常識を考えると、所有者対経営者の利害関係の分析は、先に引用したアドルフ・バーリーとガーディナー・ミーンズが指摘した草分け的な本に始まる。[*155] ところが彼らの主な関心は、所有者から経営者へと権力が徐々に移っていくことの歴史的な分析で、その移行の良し悪しについて、強い主張はなかった。所有者と経営者の利害関係がどうしても衝突した場合に、所有者の有利をどう確保するかを問題とするコーポレート・ガバナンス論が支配的になったのはわりに最近のことである。八〇年代の新自由主義がますます浸透したり、ＲＪＲナビスコ事件が起こったりしてからである。

その間——つまり一九三二年に出たバーリーとミーンズの本から、一九九〇年代コーポレート・ガバナンス論がはやり始めるまでの間——、たとえば一九六〇—七〇年代、影響力の強かった本はJ・K・ガルブレイスの『アメリカの資本主義』[*156]だった。彼は、所有者と経営者の対立をあまり問題とせず、市民国家にも挑戦しうる巨大企業（日本流に言えば「独占資本」）の誕生がどれほど脅威であるかに関心を持っていた。そして、脅威はさほどではないというのがガルブレイスの結論だ。過度な政府介入がなくても、独占性をコントロールできると。大企業による利潤の追求は、様々な「対抗勢力」によって規制されているからである。一方で、巨大な労働組合が余剰金の配分を争う。他方で、スーパーのチェーンや各社の品物を比較評価する消費者団体の力が、同業者の競争を刺激して、独占価格が生じないように、余剰金に制限を加える。部品の調達などでも、大企業が持たない技術力を下請企業が養成して、大企業に対する交渉力を維持する。

これは、後にステークホルダー論とも呼ばれるようになった考え方である。各ステークホルダー（利害関係者）の利害関係のバランスは、一方で、それぞれの「対抗勢力」により、他方で、経営者の経営姿勢による。ガルブレイスはその後、一九六七年の『新しい産業国家』[*157]で、経営者の良心、つまり、経営技術を誇りとする職業意識および公益に貢献する義務の意識に重きを置いた。当時大企業の社長の平均給料は自社従業員の四〇倍で、現在の一〇〇倍に近い数字から遠かった。

アメリカが先駆的役割を演じていても、各国の「ステークホルダー経営」の形態は違っていた。一九八〇年代のそれを考えると、ドイツでは、会社法の制定に従い、対抗する労働者の勢力が企業の中に持ち込まれて、大企業の監査役会は従業員の代表と株主の代表が半々で構成されていた。日本では、会社によっては「労使協議会」が、社長も出席する重要な機関とされていた。

経営者の価値的、道徳的姿勢は、それぞれ一九世紀のカトリック的家父長主義や江戸時代の儒教主義的家父長主義に根を張っていたが、ドイツはヴァイマル時代からすでに、日本では戦後の激しい労使紛争の結果、家父長主義的雰囲気が崩れ始めた。紛争時代から脱出して、妥協的共存に到達した経過は違うが、紛争・対立の記憶が、その妥協的共存状態の重要な要素だった。ドイツではまだそうだが、日本では、労働運動が縮小し、アメリカ流の経営者オールマイティの国となりつつある。

株主主権主義へ傾斜する日本

スティール・パートナーズ対ブルドックソースの事件だが、東京高裁の判決に次のくだりがある。

株式会社は、理念的には企業価値を可能な限り最大化してそれを株主に分配するための営利組織であるが、同時にそのような株式会社も、単独で営利追求活動ができるわけではなく、一個の社会的存在であり、対内的には従業員を抱え、対外的には取引先、消費者等との経済的な活動を通じて利益を獲得している存在であることは明らかであるから、従業員、取引先など多種多様な利害関係人（ステークホルダー）との不可分な関係を視野に入れた上で企業価値を高めていくべきものであり、企業価値について、専ら株主利益のみを考慮すれば足りるという考え方には限界があり採用することができない。

判事の慎重な言葉「限界がある」を「間違っている」、および「利害関係人との不可分な関係を視野に入れた上で」を「利害関係人の利益も勘案して」と書き換えて、その趣旨をはっきりさせておけば、いわゆる「ステークホルダー企業論」の適当な表示となりうるだろう。

二〇年前だったら、裁判所には、そんなに奥歯にものの挟まったような表現は必要なかった。敵対的買収者（総会屋のグリーン・メールが多かったが）を追い出すための新株や新株予約権の発行を、判事が、明らかに口実にすぎない「資金調達の必要に基づいて」という説明で受け入れて、法制の意図に反してでも、経営者の防衛策に加担するのが普通だった。敵対的買収に対する最も効果的な、株の持ち合いなどによる安定株主工作が常識だった。そしてそれが、日本的経営の重要な要素とされていたのである。一九八九年、部品メーカー小糸製作所に対してアメリカ人が敵対的買収を試みた時、安定株主ばかりでなく、日本の産業界や財界がこぞって敵を追い出すことに協力した。

最近、判事が取っている態度は、日本社会における大きな思想的変化を反映している。先に引用した「付随意見」は、ますます過去へのノスタルジーにすぎなくなっている。『日経新聞』ばかりではなく、一時「左より」とされていた『朝日新聞』も、買収防衛策として株の持ち合い工作を講じる経営者を「市場の規律を逃れて、保身ばかり考えている卑怯者」と非難する。他方、安定株主工作を試みている経営者も、そういうつもりであることを否定して、堂々と嘘をつく。

このたった二〇年の間の思想的変化は、比較歴史学的に見ても、テンポが速い。一九四一年から一九四六年までのそれに匹敵する。戦争のようなトラウマもなく、どうしてこれほど早く変わったのかが問われよう。一九八九―九〇年にかけて行われた日米構造改革協議以来、アメリカからの圧力が強く、法制改正にも影響した。会社法の改正――特に二〇〇三年のそれ――に対応した思想面での変化が大きい。ストック・オプションの導入、持ち株会社の解禁、自社株買いの解禁、委員会設置会社の導入などである。

しかし、「日本的経営」を財界、産業界が誇りとしていた二〇年前でも、商法は（戦前からそうだが）やはり株主主権原理を貫いていた。法制にもかかわらず、持ち合い株を中核とする慣習的な制度だった。過去の二〇年の変化は、その慣習的な公正感、公平感、経営者の使命感の変化がなくしては起こりえない現象である。

それを説明するには、世代交代の要素も重要である。経営陣、大学、そしてメディアにおいて、米国でＭＢＡやPh.Ｄを取ってきた「洗脳世代」が中堅幹部になっており、世論や常識の形成により多くの影響力を持つようになってきたからである。

企業価値研究会

大きな法制改正がすんだ後でも、その思想的進化、株主主権への傾斜が続く。それを理解する一つの鍵は、二〇〇四年経産省の中に作られた「企業価値研究会」の経過である。二〇〇四年、それが経産省内に発足した当時は、「三角合併」制度を検討中だった。外国の企業が、日本の会社を買収する方法として、日本に子会社を作り、その子会社が日本本社を買収する時、現金ではなく、米国親会社の株の相当分で支払いすることを許すという法改正である（改正法の成立は二〇〇五年で、施行は二〇〇七年から）。

三角合併の良し悪しを決めるのは法務省の縄張りであり、経産省の企業価値研究会は、新制度が施行されたなら、敵対的買収の目標になるかもしれない日本の企業を（特に外国のより強い企業から）防衛するのに、新会社法の枠内でどういう防衛策が合法であるかを検討する機関だった。

研究会の名前に「企業価値」が入ったいきさつは次のようなものだったらしい。世界的なコーポレート・ガバナンスの議論では、株主主権主義を「株主価値（Shareholder Value）論」として語るが、それを一〇〇%は受け入れない日本の特殊性を強調するために、株主価値でなく、「企業価値」を会の名前に入れた。そこには、グローバリズムを排除し、外資によるコントロールを警戒するという意図も明らかだった。

中国の中国海洋石油総公司が、アメリカの大手石油会社ユノカルの買収に動いたとき、アメリカ政府は激しく反発した。ただ、日本が同じ行動をとれば「閉鎖的」と言われて、アメリカの場合はそうではない。

不思議に思うのだが、日本の政治家も、役人も、そして大学のインテリも、とりわけいやなのは「閉鎖的」呼ばわりされることであるようだ。TCIというイギリスのファンドに対して、Jパワー(電源開発株式会社)の大株主になることを許可しなかった時にも、「特別な事情があるのであって、決して日本が閉鎖的であることを意味しない」と、政府関係者は一所懸命に弁解していた。国策として電源開発に高速増殖炉の建設を計画させていたため、それを「ペイしない」とファンドが邪魔しかねず、そのことが心配だったそうだが、堂々とそう言えばいいのだ。

グローバル化は義務的な目標ではない。東証で、外国人の株の売り越しとなると、「さあ、大変だ」と、「閉鎖ノイローゼ」になる必要はないのである。電源に「国策」があるなら(私はあるべきだと思う)、自由市場主義に惑わされて、黄金シェアも作らず、電源会社を民営化したのが元々間違いだったのだ。

企業価値から株主価値へ

それはそうと、企業価値研究会の「準ステークホルダー論的雰囲気」から「完全株主主権主義」への道程のハイライトに戻ろう。二〇〇五年の報告書を出して以降、研究会は、三〇〇以上の企業で、株主総会の承認を得て設定された新株予約権発行の防衛策を吟味した。予約権の発行条件がまちまちで、中には、従業員や協力会社の利益を勘案することを認めるようなものもあった。そして、その傾向に終止符を打つことが、二〇〇七年の新しい報告書の一つの狙いだった。[*158]

研究会の有力なメンバー、企業年金連合会運用部のコーポレートガバナンス部長、木村祐基氏が、『商事法務』(一八四二号、七ページ)で、なぜ、「企業価値を守る」や、「企業価値の向上を図る」などの用語を使った条件規定が危険であるかを説明している。

企業の間では企業価値という言葉が、経済学的な概念ではなくて、抽象的な概念としてとらえられることで、たとえばよい製品を社会に提供することであるとか、高い研究開発能力であるとか、従業員に安定した雇用を提供することであるとか、幅広くとらえられてしまい、その結果として、防衛策の発動の条件についても、極めて幅広いものになってしまった。投資家の立場から見ると、どんな時にでも発動できてしまうのではないかと見えてきます。

この報告書はその用語革命を説明する。企業価値の「経済学的な概念」が、エンタープライズ・バリュー(EV)なら、それは「時価総額+負債」(乗っ取るための最低コスト)で、研究会は、「企業が将来生み出すべきキャッシュ・フローの割引現在価値」のような定義を考えていた。そうして、今後そのあいまいな言葉を避け、「株主共同の利益」を代わりの用語とすることに決めたと、報告書の注で説明している。

ちなみに、木村氏が言う、「投資家の立場から見ると」が、即「研究会の立場から見ると」となった事情が簡単に説明できる。研究会が発足した当時、メンバーに、製造業界から六人の代表がいた。ところが、『日本経済新聞』二〇〇七年六月八日の記事によると、

「委員をお辞めいただきたい」。今月三月、価値研の取りまとめ役で経産省の新原浩郎課長はトヨタ自動車の伊地知隆彦常務ら企業代表の三人の委員に直接電話をかけた。後任にはフィデリティ・ジャパン・ホールディングスの蔵元康雄副会長など投資家代表の三人を急遽補充した。メンバーの入れ替えは、「経営者寄り」との市場の批判が経産省の背中を押した格好だ。

急遽補充したのは、三人でなくて二人だったが、その結果として、研究会の構成はこうなる。会社法専門の学者（会長を入れて七人）、製造業代表（ソニー、日立、新日本製鉄の三人）、金融業代表一三人、経団連代表一人。

ちょっと信じられない話だろう。金融庁の研究会でもあるまいし。これが「モノ作り日本」の経済産業省主催の研究会の構成なのである。ハーバード・ビジネス・スクールのクラナ氏の用語を借りれば、アメリカで一九九〇年代に完成された、経営者資本主義から投資家

資本主義への移行が、もはや日本でも、完成しつつあることを象徴している。

会社は株主のものか

二〇〇七年のブルドックソース事件が、コーポレート・ガバナンス論を再燃させた。

スティール・パートナーズは、すでにソトー、ユシロ化学工業などへの、株式の公開買い付けという武器による「余剰金吸い上げ型」攻勢に成功した米国のファンドである。一方、ブルドックソースはソース・食品製造販売の面白い会社で、一〇〇年の歴史を持つ。大学卒でない、実績で叩き上げたOL出身の女性を社長としていた。大企業の男子経営者たちにとって、それこそ「出る杭」だった。その会社の株をすでに何%か持っていたスティールは、公開買い付けで、持分を三三%に引き上げ、取締役不信任案で経営陣を脅した。配当上昇などを要求して、経営の支配権獲得を狙った。配当だけに興味があり、実質的な経営に当たるつもりはないことをはっきりと宣言していた。

ブルドックは新株予約権発行案を準備していなかったが、いわゆる「有事導入」をして、一般の株主へ議決権付きの新株を無償で割り当て、スティールには新株の代わりに、ブルドック株の時価から計算して、二三億円程度の賠償を支払うという案を株主総会に提出した。三分の二の賛成を必要とする特別決議だったが、八九%という圧倒的な支持を受けた（二三億円は、ブルドックソースの当期利益の約三倍に当たる額だった）。スティールは、「株主平等の原則に反する」として訴えた。しかし、地裁、高裁、最高裁はいずれも、その訴えを一蹴したのである。

最高裁は、コーポレート・ガバナンスの専門家から大いに叩かれた。株主平等の原則は新株発行にも当てはまるべきで、最高裁が「ブルドックは十分な賠償を払ったので、平等原則に反しない」とした点は、「グリーンメール」を是認する芳しくない判決だ。八九％という総会議決に重きを置くのは、安定株主工作を奨励するようなものだ、と。

企業価値研究会の立場は、企業買収の場合、ステークホルダー論まがいの要素は微塵も入ってはならないということで一貫している。六月の報告書で言う。[*159]「取締役会は、株主共同の利益の確保・向上に適わないにもかかわらず、株主以外の利害関係者の利益に言及することで、買収防衛策によって保護しようとする利益を不明確としたり、自らの保身を目的として発動要件を幅広く解釈してはならない」。

文章がまずいのは、役人の面従腹背、ささやかな抵抗の結果かもしれないが、趣旨は明らかである。「経営陣、従業員、協力会社、顧客、地域社会など、他のステークホルダーよ、くたばれ！　会社は株主のものだ！」

二〇〇四年に、企業という有機的準共同体に対して、その有機性の鍵である協力体制が、単なる資本収入最大化を狙う金融業者に破壊されないよう、適当な防衛策を検討するという使命を持って生まれた企業価値研究会が、二〇〇八年になると、所有権絶対論のメッセージを喧伝する機関になってしまったわけだ。初めから終いまで研究会の会長であった神田秀樹東京大学大学院教授は、研究会の目的、メッセージは一貫して変わっていないと言う。[*160] よくそんなにしらばっくれていられるものだと思う。

あとがき

「序文に代えて」で書いたように、一九四五年は正に、「終止符を打って再出発」の時期だった。人類同士が七〇〇〇万人を殺した戦争に対する反省はそれくらい深かった。

将来、金融化経済の不合理さ、不公平さに対して反省する時期は来るだろうか。同じく七〇〇〇万人を殺さないで。歴史の教訓があるとすれば、「不可逆的に見える傾向でも、永遠に続くことはない」、であるし「大きな戦争がなければ、大きな社会変化も来ない」である。

そう考えると、どうしても世界の軍事力、外交力のバランスという現実にぶつかる。本書で描いた日本経済のアングロ・サクソン化は、米国が西太平洋における軍事的覇権国であり、日本と安全保障条約を結んでそこに基地を持ち、その基地を移設しようとする内閣（たとえば鳩山内閣）を倒すくらいの力がある、という事情と密接な関係がある。

詳しく論じる余地はなかったが、三、四〇年も経てば、西太平洋における覇権国家は中国になっているだろう。二〇一〇年、北朝鮮が韓国の延坪島を砲撃した。世界的な非難が広がる中、アメリカは黄海での韓国との合同軍事演習に航空母艦ジョージ・ワシントンを派遣した。この空母の航入を、中国は一時激しく拒否した。後で認めることになるのだが、この事件は長い冷戦の始まりにすぎないだろう。米ソの冷戦は半世紀近く続いた。熱戦にならず、何千万人ものを犠牲者を出さずに終わったのは、ゴルバチョフが東中欧における米国の覇権を認め、「負けた」と手を上げたからだ。

今度は半世紀も要さないだろうが、中国が勝ちそうだ。なぜそう思うかと言えば、次の条件を勘案しているからだ。

◎今後の米中の相対的経済成長力
◎政治的課税力——国庫歳入の成長率
◎国威発揚の意思の強さ——軍事予算拡大の用意
◎人的資源（日中では、ＩＱ分布が似たようなものだろうから、優れたミサイル技術者になりうる頭脳を持つ日本人が一人いれば、中国人には一〇人いる計算）

西太平洋における覇権の交代はほとんど必然的だと思うが、それについての大問題が三つ。

①アメリカにゴルバチョフがいるか、である。それとも、何千万人もの死者が出そうな実際の衝突、つまり戦争の勝ち負けに決裁が委ねられるだろうか。

②その頃になると、徐々に東洋のモデルとなるだろう中国の経済は、米国と同様な個人所有権がオールマイティの組織になるのか。そして、アメリカのような、成功した人とそうでない人の格差が大きい社会となるか、それとも儒教的な家父長主義な政策を

とってより平等な社会になるのか。

③六〇年もの間、日本を行ったり来たりし、日本人の友達が多い私にとって大変関心が高い問題だが、土壇場になっても、日本は依然として米国に密着しているのか。独立国家として、米中が何千万人を殺しかねない衝突に突き進まないよう、有効に立ち回れるのかどうか。

「新書」の目的が、挑発的な問いかけで読者を考えさせることだとしたら、挑発はこのくらいで十分だろう。このあたりで筆を擱いていいと思う。

謝辞

この本は誕生するまでの妊娠期間がとても長く、たくさんの父親や管理医や産婆たちに感謝しなければなりません。まず、長年（何十年も！）日本経済についての知識を惜しみなく注いでくれた友人たちに心から感謝しています。彼らは、世の偽善をあざける、ユーモアを交えた楽しい対話で、多くの思い出を残してくれました。

特に思い出深いのは、（ほぼ年代順で）故東畑精一、故大来佐武郎、緒方四十郎、香西泰、稲上毅、鈴木不二一、森岡孝二、梶原保、青木昌彦、吉富勝、ジョージ・オルコット（George Olcott）、ジョン・キャンベル（John Campbell）、ロドニー・クラーク（Rodney Clark）、猪木武徳の諸氏です。

そして、簡単な雑誌論文だったものを、イタリア語の文庫本に格上げしてはどうかと提案し、金融化の問題に深入りするきっかけを作ってくれた、ミケーレ・サルヴァーティ（Michele Salvati）、ジョヴァンナ・モーヴィア（Giovanna Movia）、モニカ・アルベルトーニ（Monica Albertoni）さんたちにも感謝しています。彼女ら彼らには、いつもお世話になり、アイデアを盗ませてもらったりしています。

最近の情報については、インタビューや会食などの機会にお話を聞かせてくださった方々からも、色々と教えていただきました。特に河野正道、玉木林太郎、アデア・ターナー(Adair Turner)、中曽宏、八丁地隆、藤井真理子、森本学、山内麻里の諸氏に心から感謝しています。

原稿が最後に近い段階で、その一部か全体を読み、貴重な提案をしてくれたり、私の無知がさらされないよう配慮してくれた、藤井さん、山内さん、稲上さん、森岡さん、緒方さん、オルコットさんには、あらためてお礼を申し上げます。

最後に、企画のはじめから激励の言葉を惜しまず、非ネイティブの文章をねんごろに直し、気難しい著者に負けない気難しさで（私の言うことを聞き入れたり、聞き入れなかったりして）編集にあたってくれた中公新書編集部の郡司典夫さんにも深く感謝しています。

R・D

* 150...東証、Tokyo Stock Exchange Fact Book, 2010
* 151...Mckinsey Global Institute, "Farewell to cheap capital: The implications of long-term shifts in global savings and investment", December 2010
* 152...Ibid.
* 153...Investsments and Pensions in Europe, April 2011 (http://www.ipe.com/news/global-pension-asset)
* 154...Bryan Burrough and John Helyar, op. cit.
* 155...Adolf A. Berle and Gardiner C. Means, *The modern corporation and private property*, New Brunswick, Transactions, 2007
* 156...J. K. Galbraith, *American capitalism: The concept of countervailing power*, Boston, Houghton Mifflin, 1952
* 157...J. K. Galbraith, *The New Industrial State*, Boston, Houghton Mifflin, 1967
* 158...企業価値研究会「企業価値の向上及び公正な手続確保のための経営者の買収（MBO）に関する報告書」2007年8月2日
* 159...「近時の諸環境の変化を踏まえた買収防衛策の在り方」、「企業価値研究会報告書」2008年6月30日
* 160...「基本的考え方の規範提示」、『日本経済新聞』2008年7月30日

Tribune, 9 September 2010

* 136...『日本経済新聞』2011年4月5日
* 137...James Tobin, "Inflation and Unemployment", *American Economic Review*, 1972 (March)
* 138...http://altermonde. jp/pdf/2007021bpdf
* 139...http://www.acist.jp/index.php?option=com_content&view=article&id=138:2011-01-29-09-11-03&catid=47:intcampaign&Itemid=65
* 140...Michael Skapinker, "What is 'socially useful' is subject to fashion" *Finantial Times*, 7 September 2009
* 141...Adair Turner, "Leverage, maturity transformation and finasncial stability: Challenges beyond Basel III", Lecture at Cass Business School, 16 March 2011
* 142...Andrew Haldane, *Patience and Finance*, paper to be given at the Oxford China Forum, Beijing, 9 September 2010 (http://www.bankofengland.co.uk/publications/speeches/2010/speech445.pdf)
* 143...Carmen M. Reinhart and Kenneth S. Rogoff, *This time is different: Eight centuries of financial folly*, Princeton, Princeton University Press, 2010
* 144...Irving Fisher, "The Debt-Deflation Theory of Great Depressions", *Econometrica*, 1933
* 145...Paul Krugman, "1938 in 2010", *International Herald Tribune*, 7 September 2010
* 146...草分けは、Michel Albert, op. cit.
* 147...Office for National Statistics, *Social Trends*, 2006 (http://www.statistics.gov.uk/socialtrends36/)
* 148...McKinsey Global Institute, Mapping global financial markets: Fifth annual Report (http:// / www.mckinsey.com / mgi / reports / pdfs / fifth_annual_report/fifth_annual_report.pdf)
* 149...ニッセイ基礎研究所 (NLI Research Institute)「資本ストック蓄積および資本収益率と全要素生産性の関係――資本ストック蓄積に伴う収益率低下と情報化関連資本」、2001年 (http://www.nli-research.co.jp/report/shoho/2001/vol19/syo0109a2.pdf)

Capital", External MPC Unit, Discussion Paper No 31, January 2011）

＊ 121…Jesse Eisinger, "In debate over bank capital regulation a Transatlantic Gulf", *International Herald Tribune*, 30 March 2011

＊ 122…Gretchen Morgenstern, "Report criticizes high salaries at Fannie and Freddie", *International Herald Tribune*, 31 March 2011

＊ 123…前掲 Turner の注。この収益は、①利子が税制上費用として利益から差し引かれること、②有限責任原則というプットオプションの両方による。

＊ 124…*Financial Times*, 14 February 2011

＊ 125…*Financial Times*, 6 March 2011

＊ 126…Simon Johnson, "Can limits on executive pay solve the "too big to fail" problem", *New Republic*, 23 December 2009

＊ 127…Group of Thirty, "Financial Reform, A Framework for Financial Stability", 15 January 2009. 杉田浩治「世界の金融規制改革の骨組み――トップ経済人グループ「G30」が提案」日本証券経済研究所、2009 年 3 月 13 日

＊ 128…Chris Giles, "King calls for break-up of banks", *Financial Times*, 20 October, 2009

＊ 129…Chris Giles, "Darling slaps down King-gently", *Financial Times*, 21 October, 2009

＊ 130…政府の委員会に対する諮問は、http://bankingcommission.independent.gov.uk/wp-content/uploads/2010/07/Issues-Paper-24-September-2010.pdf

＊ 131…Manmohan Singh, "Collateral, Netting and Systemic Risk in the OTC Derivatives Market", IMF, Monetary and Capital Markets Department, October 2009

＊ 132…Ibid.

＊ 133…"Unlucky for some", *Economist*, 5 March 2011

＊ 134…Jeffrey Manns, "The revenge of the rating agencies", *International Herald Tribune*, 11 August 2011

＊ 135…Mike Dolan, "Taxing the trade in currencies", *International Herald*

2009
＊ 106...Leo Hindery, "Obama must act to curb executive greed", *Financial Times*, 24 June 2009
＊ 107...厚生労働省「賃金構造基本統計調査」2008 年
＊ 108...http://money.derica.jp/md/node/1010134604
＊ 109...http://www.poor-papa.com/banks.htm
＊ 110..."Top banks invited to BIS talks amid new risk fears", *Financial Times*, 7 January 2010.「金利がゼロに近いことを利用した、また金利が上がった時のリスクを過小評価する取引が多すぎる」という趣旨だったが、正にそうなった。
＊ 111...Richard Layard, ed., *The Future of Finance: The LSE Report*, London, LSE, 2010. ここで引用されている序文はLayard執筆（http://www.futureoffinance.org.uk/）
＊ 112...Robert Shiller, *Irrational Exuberance*, Princeton, Princeton University Press, 2000
＊ 113...Carmen M. Reinhart and Kenneth S. Rogoff, *This time is different: Eight centuries of financial folly*, Princeton, Princeton University Press, 2010
＊ 114...Adrian Turner, *Reforming Finance: Are we being radical enough*, Lecture at Clare College Cambridge, 18 February 2011
＊ 115...http://www.g20.utoronto.ca/jp/
＊ 116...Our unprecedented and highly coordinated fiscal and monetary stimulus worked to bring back the global economy from the edge of a depression. いわば「凱旋的な」英語である。
＊ 117...福光寛『金融排除論』同文舘出版、2001 年
＊ 118...Walter Bagehot, *The English Constituion*, 1867
＊ 119...Adair Turner, *Leverage, maturity transformation and financial stability: Challenges beyond Basel III*（Lecture at Cass Business School), 16 March 2011
＊ 120...Adair Turner, *Reforming finance: are we being radical enough?*（Clare College Distinguished Lecture, 18 Februay 2011. 引用しているペーパーは、David Miles, Jing Yang and Gilberto Marcheggiano, "Optimal Bank

＊ 89...「国際通貨システム改革に関する考察」、「北京週報日本語版」2009年3月27日（http://japanese.beijingreview.com.cn/yzds/txt/2009-03/27/content_188170.htm）

＊ 90...http://www.g20.org/Documents/Fin_Deps_Fin_Regs_Annex_020409_-_1615_finalpdf

＊ 91...http://www.londonsummit. gov. uk/en/summit-aims/summit-communique/

＊ 92...Warren Buffett, "Stop coddling the rich", *International Herald Tribune*, 15 August 2011

＊ 93...Terrie Lloyd, "How much is too much for a CEO's salary?", *Japan Today*, 31 August 2010（http://www.japantoday.com/category/commentary/view/how-much-is-too-much-for-a-ceos-salary）

＊ 94...Paul Krugman, "For richer", *New York Times Magazine*, 20 October 2002

＊ 95...Nigel Morris, "Cameron reveals civil servants who earn more than him", *Independent on Sunday*, 5 June 2010.

＊ 96...Philip Stevens, "Time for banks to behave like banks", *Finanacial Times*, 9 February 2009

＊ 97...後に、連立内閣の財政大臣となった、オズボーン

＊ 98...Ben Maclanahan, "Lex still supports the principle of variable performance-related pay", *Financial Times*, 10 February 2009

＊ 99...Martin Wolf, *Financial Times*, 9 February 2009

＊ 100...Maclanahan, op. cit.

＊ 101...バークレイズ銀行の最高経営責任者ボブ・ダイアモンドが、英国会予算委員会に証人喚問された時の発言要旨。2011年1月11日

＊ 102...John Plender, "UK banking climate makes the US look attractive", *Financial Times*, 5 April 2011

＊ 103...HSBCの2011年2月の発表。Patrick Jenkins and Megan Murphy, "Banking: Again on the edge", *Financial Times*, 14 August 2011

＊ 104...Lexington, *The Economist*, 14-21 August 2011

＊ 105...Sir John Craven and others, Letters, *Financial Times*, 2 November

＊75...Richard Thaler, "Markets can be wrong and the price is not always right", *Financial Times*, 4 August 2009

＊76...Alberto Alesina and Francesco Giavazzi, op.cit.

＊77...CRESC, Manchester University, An alternative report on UK Banking Reform October 2009 (http://www.cresc.ac.uk/publications/documents/alternativereportonbankingV2.pdf)

＊78...Breakthrough Institute, Blog. (thebreakthrough. org/.../the_dod_and_silicon_valley_a_m. shtml)

＊79...AnnaLee Saxenian, Silicon Valley's immigrant entrepreneurs, Center for Comparative Immigration Studies, University of San Diego, Working paper 15, 2000 (http://www.ccis-ucsd.org/PUBLICATIONS/wrkg15.PDF)

＊80...東野大「日本のベンチャービジネスを巡る環境変化」JETRO、日本経済情報課、2005年（http://www.jetro.go.jp/jfile/report/05000963/05000963_001_BUP_0.pdf）

＊81...Claire Cain Miller, Institutions wary of venture funds, *International Herald Tribune*, 11 August 2011

＊82...マイクロクレジット・システムの業績や問題点については、http://en.wikipedia.org/wiki/Microcreditが詳しい。

＊83...Mark Hannam, "What crisis? This is creative destruction", *Prospect*, November 2008, p. 30

＊84...http://www.bis.org/statistics/consstats.htm, http://en.wikipedia.org/wiki/Bank # Size_of_global_banking_industry

＊85...Jeffrey Garten, "Global authority can fill financial vacuum", *Financial Times*, 25 September 2008

＊86...http://www.nli - research.co.jp/report/flash/2009/flash09_002.pdf (3 April 2009)

＊87...F. H. Hinsley, *Power and the Pursuit of Peace*, Cambridge, Cambridge UP, 1968

＊88...Robert Skidelsky, "A golden opportunity for monetary reform", *Financial Times*, 10 November 2010

＊ 59...Roger Walton Ferguson, Phillipp Hartmann, Fabio Panetta, Richard Portes, *International Financial Stability*, Centre for Economic Policy Research, Nov. 2007. p. 80（http://www.cepr.org/pubs/books/cepr/booklist.asp?cvno =P183）
＊ 60...Niall Ferguson, *The ascent of money: A financial history of the world*, London, Allen Lane, 2008, p. 358
＊ 61...Riccardo de Bonis, Daniele Fano and Teresa Sbano, The household aggregate financial wealth: Evidence from selected OECD countries, power point presentation at OECD Working Party on Financial Statistics, 2-3 October 2007
＊ 62...かいけつ！人事労務（http://www.kaiketsu-j.com/）
＊ 63...Alberto Alesina e Francesco Giavazzi, *La crisi: Può la politica salvare il mondo?*, Milano, il Saggiatore, 2008
＊ 64...M van Rooji, A. Lusardi and R. Alessie, *Financial literacy and stock market participation*, De Nederlandsche Banke, April 2007
＊ 65...内閣府「平成 20 年度年次経済財政報告」
＊ 66...同、図表第 2—5—10
＊ 67...同、図表第 2—5—7
＊ 68...丸山眞男「近世日本政治思想史における「自然」と「作為」」（『日本政治思想史研究』東京大学出版会、1983 年、第二章）または、『日本の思想』（岩波新書、1961 年）の中の「「である」ことと「する」こと」参照。
＊ 69...ロナルド・ドーア『誰のための会社にするか』岩波新書、2006 年
＊ 70...Justin Fox, *The Myth of the Rational Market*, New York, Harper-Collins, 2009
＊ 71..."Adair Turner roundtable: How to tame global finance", *Prospect*, September 2009
＊ 72...http://www.britac.ac.uk/events/archive/forum-economy.cfm
＊ 73...Robert Skidelsky, How to rebuild a shamed subject, *Finanacial Times*, 5 August 2009
＊ 74...Paul Krugman, "How did economists get it so wrong", *New York Times*, 2 September 2009

U. S. Financial Industry 1909–2006, NBER Working Paper, 14644, January 2009

＊47...Claudia Goldin and Lawrence F. Katz, "Transitions: careers and family life cycles of the educational elite", *American Economic Review Papers and Proceedings 2008*, Vol. 98. 2

＊48...John Stuart Mill, *Principles of Political Economy*, 1948, Book 2, Chapter 14

＊49...財務省「法人企業統計」の各年版。70年代の大企業2500社、90年代の3500社の統計である。

＊50...『日本経済新聞』社説、2009年8月8日

＊51...Sanford Jacoby, "Finance and Labor, Perspectives on risk, inequality and democracy", 2007（http://papers.ssrn.com/sol3/papers.cfm?abstract_id=1020843）. 上場、非上場の違いについて引用しているのは、Boyd Black, Howard Gospel and Andrew Pendleton, "Finance, corporate governance and Employment Relations, *Industrial Relations*, 46, iii, 643–650

＊52...Khurana, op. cit. p. 310

＊53...Paul Krugman, "The Madoff Economy", *International Herald Tribune*, 20–21 December 2008

＊54...Gillian Tett, "Insight: a Matter of Retribution", *Financial Times*, 3 September 2009. 数字の出典は、Tom S. King, *The Great Texas Savings and Loan Financial Debacle*, Author House, 2006

＊55...Michael Perino, *The hellhound of Wall Street: How Ferdinand Pecora's Investigation of the Great Crash Forever Changed American Finance*, New York, Penguin Press, 2010

＊56..."Black autumn", *Der Speigel*, 13 October 2008

＊57...Giuseppe Bruno, Riccardo di Bonis, *Do financial systems converge? New evidence from household financial assets in selected OECD countries*（「金融システムは収斂するか。OECD加盟の国々からの新しい証拠」), Bank of International Settlements（www.bis.org/ifc/pub/ifch31acpdf）

＊58...22 March 2009（http://www.garbagenews.net/archives/497015.html）

and democracy", 2007（http://papers.ssrn.com/sol3/papers.cfm?abstract_id=1020843）

＊ 33...Jacoby, op. cit.

＊ 34...このような論争に関する特に優れた分析として、Margaret M. Blair, *Ownership and Control: Rethinking corporate governance for the twenty-first century*, Washington, Brookings, 1995、および、Jonathan Charkham, *Keeping good company: A study of corporate governance in five countries*, Oxford and New York, Oxford University Press, 1995 を推薦できる。

＊ 35...Khurana, op. cit., p. 337

＊ 36...THE BUSINESS ROUNDTABLE（BRT), 2010 Principles of Corporate Governance, 31 March 2010

＊ 37...Chris Gibson-Smith, *Why Britain needs an equity culture*, 17 October 2005（http://www.londonstockexchange.com/en - gb/about/Newsroom/Media＋Resources/Speeches/equityculture.htm）

＊ 38...Lawrence Summers, "America needs to think of a new case for trade", *Financial Times*, 28 April 2008

＊ 39...正式には、内閣府「平成 20 年度年次経済財政報告（平成 20 年 7 月 23 日）」

＊ 40...Ronald P. Dore, *Land reform in Japan*, Oxford, Oxford University Press, 1959 ／『日本の農地改革』並木正吉他訳、岩波書店、1965 年

＊ 41...Hyman P. Minsky, *Stabilizing an unstable economy*（1986), New York, McGraw-Hill, 2008, p. 9. ケインズの引用は、"Liberals and Labour" と題する *Essays in Persuasion*（1926）の一論文（1972 年のケインズ全集の第 9 巻所収）。

＊ 42...Institute of Fiscal Studies 2008

＊ 43...Graham Bowley, "With big profit Goldman sees big payday ahead", *New York Times* 14 July 2009

＊ 44...Stephen Labaton, "House panel approves executive pay restraints", *New York Times*, 28 July 2009

＊ 45...Bowley, op. cit.

＊ 46...Thomas Philippon and Ariell Reshef, *Wages and human capital in the*

Empirical Work", *Journal of Finance*, May 1970がその起源。もちろん、私のここでの要約は簡単なもので、「効率性」をめぐる学者の論争は複雑さを極める。

* 17...http://en.wikipedia.org/wiki/Collateralized_debt_obligation
* 18...Gillian Tett, "Insight: Volatility returns with a vengeance", *Financial Times*, 27 October 2008
* 19...*Financial Times*, 1 June 2008
* 20...John Gieve, "Regulating banks calls for attack on inertia", *Financial Times*, 28 June 2009
* 21...Tett, op. cit.
* 22...James Crotty, "The Neoliberal Paradox: The Impact of Destructive Product Market Competition and Impatient Finance on. Nonfinancial Corporations in the Neoliberal Era", in G. Epstein, ed., *Financializaton and the World Economy*, Northampton Massachusetts, Edward Elgar, 2005
* 23...Rakesh Khurana, *From Higher Aims to Hired Hands: The Social Transformation of American Business Schools and the Unfulfilled Promise of Management as a Profession*, Princeton, Princeton University Press, 2007
* 24...Alfred D. Chandler, Jr., *The Visible Hand: The Managerial Revolution in American Business*, Cambridge, Bellknap Press, 1977
* 25...Leo Hindery, "Obama must act to curb executive greed", *Financial Times*, 25 June 2009
* 26...http://www.dailyreckoning.com.au/barclays-executive/2007/03/29/
* 27...*Financial Times*, 8 May 2009
* 28...Adolf A. Berle and Gardiner C. Means, *The Modern Corporation and Private Property* (1932), New York, Transaction Publishers, 1991
* 29...Op. cit., p. 311
* 30...Bryan Burrough and John Helyar, *Barbarians at the Gate*, New York, Harper Collins, 1990 ／『野蛮な来訪者』鈴田敦之訳、日本放送出版協会、1990年
* 31...Op. cit., p. xxxviii
* 32...Sanford Jacoby, "Finance and Labor, Perspectives on risk, inequality,

◎注

＊ 1...“La finanziarizzazione dell'economia mondiale”, *Stato e Mercato*, 2008/3

＊ 2...Ronald Dore, *Finanza pigliatutto. Attendendo la rivincita dell'economia reale*, Bologna, Mulino, 2009

＊ 3...Michel Albert, *Capitalisme contre capitalisme*, Paris, Seuil, 1991／ミシェル・アルベール『資本主義対資本主義』小池はるひ訳、竹内書店新社、1992年

＊ 4...Karl Polanyi, *The Great Transformation*, New York, Rinehart, 1944

＊ 5...ロナルド・ドーア『日本型資本主義と市場主義の衝突』藤井眞人訳、東洋経済新報社、2001年

＊ 6...http://bea.gov/bea/dn/nipaweb/Tableview.asp#Mid

＊ 7...Paul Krugman, “The Madoff Economy”, *International Herald Tribune*, 20-21 December 2008

＊ 8...http://www.thepigsite.com/swinenews/11407/cme-celebrates-40th-anniversary-of-lean-hog-contract

＊ 9...藤井眞理子「再証券化　リスク拡大招く」、『日本経済新聞』2009年4月22日参照

＊ 10...http://en.wikipedia.org/wiki/Credit_Default_Swap

＊ 11...George Soros, Three steps to financial reform, *Financial Times*, 16 June 2009

＊ 12...http://en.wikipedia.org/wiki/John_Paulson#Hedge_fund『ニューヨーク・タイムズ』2010年4月16日を引用している。

＊ 13...Peter S. Goodman, “When crisis management goes wrong”, *International Herald Tribune*, 23 August 2010

＊ 14...John Auther, “Why bets on synthetic CDOs must be banned”, *Financial Times*, 23 April 2010

＊ 15...*International Herald Tribune*, (Bologna edn.) 12 November 2010

＊ 16...Eugene Fama, “Efficient Capital Markets: A Review of Theory and

ロナルド・ドーア（Ronald P. Dore）

1925年，イギリスに生まれる．ロンドン大学東洋アフリカ研究学院卒業．戦時中，日本語を学び，1950年，江戸教育の研究のため東京大学に留学．カナダ，イギリス，アメリカの大学の社会学部や政治学部教授，ロンドン大学LSEフェローを歴任．

著書『学歴社会新しい文明病』（岩波書店，1978年）
『イギリスの工場・日本の工場』（筑摩書房，1987年）
『不思議な国日本』（筑摩書房，1994年）
『日本型資本主義と市場主義の衝突』（東洋経済新報社，2001年）
『働くということ』（中公新書，2005年）
『誰のための会社にするか』（岩波新書，2006年）
など

金融《きんゆう》が乗《の》っ取《と》る世界経済《せかいけいざい》
中公新書 2132

2011年10月25日発行

著　者　ロナルド・ドーア
発行者　小林敬和

本文印刷　暁印刷
カバー印刷　大熊整美堂
製　本　小泉製本

発行所　中央公論新社
〒104-8320
東京都中央区京橋 2-8-7
電話　販売 03-3563-1431
　　　編集 03-3563-3668
URL http://www.chuko.co.jp/

Published by CHUOKORON-SHINSHA, INC.
Printed in Japan　ISBN978-4-12-102132-8 C1233

中公新書

経済・経営

g1

1936 アダム・スミス　堂目卓生
1465 市場社会の思想史　間宮陽介
1853 物語　現代経済学　根井雅弘
2008 市場主義のたそがれ　根井雅弘
1841 現代経済学の誕生　伊藤宣広
2123 新自由主義の復権　八代尚宏
1896 日本の経済―歴史・現状・論点　伊藤　修
2024 グローバル化経済の転換点　中井浩之
726 幕末維新の経済人　坂本藤良
1527 金融工学の挑戦　今野　浩
2041 行動経済学　依田高典
1658 戦略的思考の技術　梶井厚志
1871 故事成語でわかる経済学のキーワード　梶井厚志
1824 経済学的思考のセンス　大竹文雄
2045 競争と公平感　大竹文雄

1893 不況のメカニズム　小野善康
1078 複合不況　宮崎義一
2116 経済成長は不可能なのか　盛山和夫
2124 日本経済の底力　戸堂康之
1586 公共事業の正しい考え方　井堀利宏
1434 国家の論理と企業の論理　寺島実郎
1657 地域再生の経済学　神野直彦
1737 経済再生は「現場」から始まる　山口義行
2021 マイクロファイナンス　菅　正広
2069 影の銀行　河村健吉
1941 サブプライム問題の正しい考え方　倉橋　透・小林正宏
2064 通貨で読み解く世界経済　小林正宏・中林伸一
2111 消費するアジア　大泉啓一郎
1932 アメリカの経済政策　中尾武彦
2031 IMF(国際通貨基金)　大田英明
290 ルワンダ中央銀行総裁日記(増補版)　服部正也
1627 コーポレート・ガバナンス　田村達也

1784 コンプライアンスの考え方　浜辺陽一郎
1842 「失われた十年」は乗り越えられたか　下川浩一
1700 能力構築競争　藤本隆宏
1074 企業ドメインの戦略論　榊原清則
1789 組織を変える〈常識〉　遠田雄志
2132 金融が乗っ取る世界経済　ロナルド・ドーア